La médiation

MICHÈLE GUILLAUME-HOFNUNG

Professeur des Facultés de droit

Deuxième édition corrigée

8ᵉ mille

D1205659

DU MÊME AUTEUR

Le référendum, « Que sais-je ? », n° 2329.

A Virgile
A France

ISBN 2 13 046765 2

Dépôt légal — 1re édition : 1995
2e édition corrigée : 2000, janvier

© Presses Universitaires de France, 1995
108, boulevard Saint-Germain, 75006 Paris

INTRODUCTION

La médiation a toujours existé mais elle prend aujourd'hui une importance qui la renouvelle complètement et rend urgent un effort théorique sérieux.

— L'ancienneté de la médiation :

Dans son ouvrage *Peines perdues* (Paris, Centurion, 1982, p. 154) Jacqueline Bernat cite un règlement de 1671 chargeant des assemblées de gentilshommes et de clercs de pacifier les différends et de travailler à la médiation de tous procès et querelles. Dans l'ancienne France, les évêques confiaient traditionnellement aux prêtres une mission de médiation entre leurs paroissiens. Plus près de nous le curé et l'instituteur avaient repris le flambeau. Les sociétés traditionnelles ont gardé la trace d'une tradition séculaire de médiation, décrite par les anthropologues.

— L'actualité du sujet se manifeste par l'utilisation à tout propos du terme médiation. Qu'on en juge par quelques exemples hétérogènes.

L'utilisation du terme par les médias :

A la télévision : La programmation mensuelle sur TF1 de l'émission « Médiations » de François de Closets.

Dans la presse écrite : Le titre en première page du *Monde* (28 août 1991) « L'Europe veut imposer une médiation » entre les factions qui s'opposent dans l'ex-Yougoslavie. Un autre article du *Monde* (19-20 décembre 1993) qualifiant les écrivains publics de « médiateurs auprès de personnes analphabètes ou illettrées ». En enfin, *Le Monde* du 12 janvier 1994 qui présente les députés comme des médiateurs sociaux.

— L'institutionnalisation d'une médiation au sein des médias : ainsi, la création en 1994 au journal *Le Monde* d'un poste de médiateur confié à A. Laurens, en 1999 à R. Solé, et même en 1998 dans le secteur audiovisuel, à France Télévision.

L'utilisation du terme médiation ou médiateur par les pouvoirs publics tant nationaux que locaux : cela va de l'institutionnalisation du Médiateur de la République par la loi du 3 janvier 1973 à la désignation d'un grand médiateur entre les intérêts publics et les intérêts privés dans la France de l'économie mixte en la personne de Jean Peyrelevade le 13 mars 1989. Cela se manifeste encore par des formules invoquant la médiation : ainsi M. Rossinot alors ministre de la Fonction publique décernant aux fonctionnaires le titre de « Médiateurs sociaux » (*Service public,* nᵒ 13, juillet 1963).

L'urgence de l'effort théorique : Comment penser que toutes ces médiations hétéronomes, voire antinomiques correspondent à la même notion et à la même réalité ? Ce foisonnement s'il reflète le besoin vital de médiation rend urgente une tentative de mise au point pour préciser sa définition, son champ théorique et pratique, ainsi que la problématique de son insertion institutionnelle dans une société qu'elle reflète et qu'elle peut modifier.

La méthode inductive s'impose, à commencer par enquête, une sorte de fiche sur les origines de la médiation, son signalement sous forme d'inventaire non sélectif des expériences se réclamant de la médiation ou assimilées à elle. Leur insertion dans ce tableau ne préjuge en rien de leur nature, en attendant un éclaircissement sur sa nature en liaison avec une tentative de définition qui viendra en deuxième partie. Il faut une définition suffisamment rigoureuse pour rompre avec le syncrétisme qui menace la médiation, mais suffisamment large pour ne pas la tronquer ou la scléroser.

Enfin, la présentation de pistes relatives à son régime juridique : son institutionnalisation en rapport avec la société civile mais aussi avec d'autres modes de régulation (dont la justice et l'administration).

Les utilisateurs intempestifs du terme ne perçoivent pas toujours l'urgence de l'effort théorique. Ils manifestent souvent le scepticisme des praticiens pour qui l'action prime la réflexion. La réflexion n'engendrerait que retard et impuissance dans un domaine où il faut parer au plus pressé et innover à tout prix. N'est-ce pas la politique de Gribouille ? On ne pourra éviter d'évoquer les dangers que la négligence terminologique fait courir à la médiation.

Je remercie particulièrement Mme Régine Langendorff, J.-F. Six et J.-D. Remond.

PREMIÈRE PARTIE

LA PHÉNOMÉNOLOGIE DE LA MÉDIATION

Le champ de la médiation n'a pas de limite, il englobe tous les secteurs de l'activité humaine, de la sphère la plus privée à la plus publique. La médiation concerne les personnes publiques aussi bien que les particuliers, les individus aussi bien que les groupes, les activités nationales, transnationales et internationales.

La médiation est un phénomène qui dépasse la société française on constate son développement aussi bien à l'étranger (chap. I) qu'en France (chap. II) qu'au niveau international (chap. III). Il ne s'agit pas d'un phénomène isolé. La décennie de la médiation selon l'expression de J.-F. Six (*Le temps des médiateurs,* Le Seuil, 1990, p. 87 à 143) est contemporaine du développement des modes non juridictionnels de règlement des conflits, dans les années 1980. Ces phénomènes se servent mutuellement de contexte et ne se comprennent pas l'un sans l'autre même si leur télescopage crée un flou terminologique (chap. IV).

Chapitre I

LE DÉVELOPPEMENT
DE LA MÉDIATION
A L'ÉTRANGER

Le terme de développement caractérise particulièrement bien le contenu du chapitre. Il permet de décrire
l'extension géographique et matérielle de la médiation
(son développement spatial) et sa genèse (son développement temporel). L'étude du développement d'un phénomène apporte de précieuses indications sur sa nature,
car il permet de repérer son origine et ses mécanismes
profonds. Parti de l'Amérique du Nord dans les
années 1970, il atteint l'Europe dans les années 1980.
Pour décrire complètement le mouvement il faut signaler
que le déplacement géographique a souvent produit un
déplacement terminologique puisque le terme médiation
est souvent donné pour équivalent du terme *conflict
resolution,* utilisé outre-Atlantique.

I. — Le développement de la médiation
en Amérique du Nord

Devant l'importance numérique du phénomène il
faut choisir des exemples pertinents. La médiation
familiale mérite une place à part en raison de
l'influence particulière qu'elle a exercé sur certains
systèmes européens.

1. **La médiation aux Etats-Unis d'Amérique.** — En
dépit du nombre et de la variété des expériences de

médiation au bout de vingt ans des caractéristiques communes apparaissent. La prédominance du volontariat, l'origine privée et non pas étatique du mouvement (les collectivités publiques souvent n'ont fait que suivre) se remarque. La présentation parallèle de programmes étatiques et de programmes non étatique de médiation rendra compte de la netteté du clivage entre les pratiques indépendantes des autorités et les pratiques dans l'orbite de celles-ci ; ces programmes ne promeuvent pas le même type de médiation A). La médiation se développe particulièrement dans le secteur de la consommation B) et dans celui de la justice alternative C). Bien que les ombudsmen aient atteint un degré de développement significatif aux Etats-Unis, ils ne seront pas étudiés car trop éloignés de ce qu'on rattache à la médiation même dans un inventaire aussi peu sélectif que celui de cette première partie.

A) *Un exemple de clivage dans les pratiques de médiation.*

a) Les programmes étatiques de « médiation ». — On les rencontre surtout en matière pénale. La pratique distingue entre la médiation intervenant après la condamnation du délinquant dans le cadre de la probation et la « médiation » préalable aux poursuites.

Le programme (Victim Offender Program) mis au point à Kirchener (Ontario) offre un exemple de médiation après condamnation, il entretient des liens étroits avec la Justice pénale, car le juge peut imposer au probationniste de réparer par un arrangement amiable avec la victime. Il concerne surtout les infractions aux biens, rarement des préjudices corporels (2 à 3 % des cas). L'organisation des confrontations entre la victime et le délinquant a nécessité la création d'un Service de réconciliation, animé par l'Eglise mennonite.

Le caractère étatique de la « médiation » pénale est encore plus prononcé dans l'Etat de New York puisque organisé par l'Etat lui-même sur la base d'une loi de 1981 ouvrant dans tous les comtés des centres gérés par le système unifié des tribunaux de l'Etat. Bien qu'il en confie le fonctionnement à des institutions privées (philanthropiques, religieuses, éducatives), l'Etat de New York encadre l'organisation des centres. De plus, à tous les stades de leur activité les centres fonctionnent en liens étroits avec le système pénal de l'Etat. Ainsi leur saisine dépend de la Summons Court qui, un peu à la manière de notre Procureur de la République, recueille les plaintes des particuliers. Le déroulement de la procédure de « médiation » suit un calendrier strict. Un des permanent du centre se rend à la Summons Court pour décider après audition des plaignants de la possibilité en l'espèce d'une médiation, à cette occasion il leur explique l'utilité mais aussi les limites de la médiation par rapport à la solution juridictionnelle. Pour se décider il tient compte d'éléments psychologiques mais aussi du seuil prévu par la loi de 1981 : l'enjeu financier du litige ne doit pas dépasser 1 000 $. Lorsque la médiation s'avère envisageable, le représentant du Centre en fixe la date et remet aux plaignants une requête à comparaître que chacun diligente. Le centre désigne lui-même le médiateur idoine. La médiation intervient dans les huit à quinze jours du dépôt de la plainte. Elle se déroule le soir dans un local officiel, dure une heure environ et débouche sur un accord écrit précis signé par chacun et doté d'une valeur légale. On ne recense guère plus de 7 à 8 % de plaintes pour violation de l'accord de médiation. Quelques chiffres permettent de mesurer l'activité de médiation dans l'Etat de New York : il y existe une vingtaine de Centres ; celui de Brooklyn réalise environ 300 médiations par mois (un exemple de conciliation non étatique : la médiation anglo-saxonne Jacques Vérin, *Archives de politique criminelle*, 1984, n° 7, p. 131).

b) Les programmes de médiations non étatiques : les programmes de ce type préservent jalousement leur indépendance financière et fonctionnelle vis-à-vis des autorités officielles quelles qu'elles soient, mais surtout vis-à-vis de la Justice. En cherchant à raviver la conscience civique des individus, la convivialité, et à restituer à la communauté le sens de la responsabilité, ils se fixent un objectif plus large et somme toute plus ambitieux que l'amélioration de la Justice et sa rentabilité. Les *Community boards,* appartiennent à cette catégorie profondément conforme à la tradition américaine qui comme le remarquait déjà B. Constant préfère créer une association pour agir plutôt que de réclamer l'action étatique.

L'avocat Ray Shonoltz lança le mouvement en 1976 dans le quartier Visitacion de San Francisco. Ses intentions de départ animent toujours le système : il s'agit de dépasser le duel judiciaire pour rechercher la paix sociale, réduire les tensions sociales et raciales ainsi que l'insécurité. Le développement des solidarités civiques en dehors de tout conflit, la prévention des conflits de voisinage, correspondant particulièrement à de tels objectifs fut la première activité du centre. Depuis 1983 les activités se sont diversifiées, puisque le Community board de San Francisco inaugura la médiation scolaire.

Les volontaires assurent un travail totalement polyvalent qui comprend la médiation elle-même mais aussi la résolution des conflits avec toutes les étapes préalables (détection des besoins, écoute) comme ultérieures de la médiation (le suivi de l'affaire) ou encore les activités complémentaires afin de développer la médiation dans la ville, de diffuser les idées du Community Board, de recruter de nouveaux volontaires et de les former.

Le processus de médiation mis au point par ce groupe se démarque du processus judiciaire ce qui a nécessité une réflexion approfondie sur le concept de médiation pour le différencier d'une simple technique de résolution non juridictionnelle des conflits, et pour trouver une manière de faire conforme à la nature de la médiation ainsi conçue. Il n'est question dans un tel centre ni de requête à comparaître, ni de médiation imposée par une autorité officielle. Les partisans de ce type de médiation ne peuvent aller au-delà d'une incitation civique ou personnelle, comme l'information ou l'éducation. Avec eux on n'est pas loin de la force de proposition caractéristique de la médiation créatrice (voir la deuxième partie).

Les volontaires d'une telle communauté ne pouvant s'abriter derrière les autorités officielles, ont à cœur d'asseoir leur légitimité sur leur compétence en matière de médiation. L'importance de la formation des médiateurs s'est affirmée jusqu'à devenir un élément de légitimité à agir. Le caractère prioritaire de la formation se manifeste par le nombre des volontaires en bénéficiant (une centaine par session et selon un dosage soigneux entre les éléments noirs et hispaniques de la communauté), le système de formation mutuelle qui utilise des volontaires chevronnés permet une rapide croissance du nombre des volontaires.

B) *La médiation dans les relations de consommation.* — On connaît l'ampleur du mouvement consumériste lancé par Ralph Nader, s'il ne peut être établi de lien organique entre la médiation et ce mouvement l'hypothèse d'un lien culturel s'impose. Il s'agit de réponses différentes à une préoccupation générale qui reflète l'état d'une société à un moment donné. Le lien profond entre la médiation et la société qui en souhaite le développement est une évidence.

Il existe dans ce domaine une forte action étatique, d'abord basée sur l'arbitrage puis récemment sur la « médiation ». Le passage d'une stratégie à l'autre se manifeste dans la terminologie, du Better Business Bureau (pratiquant l'arbitrage) on passe au Worcester County Consumer Mediation Project (WCCMP).

Selon J.-P. Bonafé-Schmitt (*La médiation, une justice douce,* Alternatives sociales, 1992, p. 85), « le Massachusetts est un des Etats américains où les procédures de médiation sont les plus développées et ceci dans tous les domaines de la vie sociale y compris celui de la consommation. Dès 1984 le ministère de la Justice a suscité le WCCMP « avec pour objectif de résoudre par la médiation les conflits opposant les professionnels et les consommateurs, les propriétaires et les locataires ». La médiation qui jouait au départ un rôle de roue de secours en cas d'échec des modes traditionnels, comme la conciliation, les a parfois supplantés au point que le WCCMP a fini par prendre en charge les litiges avant tout recours aux modes traditionnels.

Peut-on mentionner le système de traitement des réclamations dans le secteur automobile, car dans leurs actions de médiation, les associations de consommateurs agissent le plus souvent comme des défenseurs au mieux comme des conciliateurs ? Quant au système mis au point par l'entreprise Ford s'il se distingue du service contentieux interne de ses concurrents par la création d'une instance extérieure à l'entreprise, il reste difficile à caractériser. En effet l'entreprise en dotant l'instance d'éléments d'indépendance comme son extériorité, sa composition paritaire, la rapproche d'une instance de médiation et d'ailleurs la présente comme telle (Smith, The Ford Motor Company Consumer Appeal Board, in *Corporate Dispute Management,* 219 (Center for Public Resources, 1982), pourquoi alors la doter d'un pouvoir de décision liant l'entreprise faute de lier le consommateur ? En dépit de cette incertitude terminologique, le système s'est avéré efficace les économies de procédure ont largement dépassé le budget affecté au programme de médiation et

Ford pense avoir amélioré ses relations non seulement avec sa clientèle, mais encore avec le public et les associations de consommateurs.

C) *La « médiation » dans la vague de la justice alternative.* — Aux Etats-Unis l'engouement pour la « médiation » doit beaucoup à la volonté de régler les litiges en évitant les recours juridictionnels. Le plus gros de la vague de médiation s'apparente au développement *général* des nouveaux modes de résolution des conflits. L'importance de cette cause de développement de la « médiation » (selon une traduction très libre mais fréquente de *conflict resolution* signalée *supra*) s'explique par la nécessité d'enrayer les effets paralysants de la forte propension procédurière des Américains.

La demande de régler les litiges autrement émane des Etats aussi bien que des particuliers. Les Etats qui en attendent un désengorgement des tribunaux encombrés de petits litiges, estimés peu intéressants, favorisent une dérivation du contentieux, ou procèdent à ce qu'on désigne parfois par le terme de « déjudiciarisation ». Les particuliers en espèrent une économie de temps et de frais de justice. On comprend dès lors le « bouillonnement d'initiatives » sous l'impulsion de l'Etat fédéral (*Administrative Dispute Resolution Act* de novembre 1990), mais aussi de certains Etats membres visant à promouvoir la médiation comme « mode de résolution des conflits » décrit par J.-P. Bonafé-Schmitt (*op. cit.,* p. 56 à 60).

L'importance des initiatives publiques (une quarantaine pour l'ensemble des Etats-Unis) tranche avec ce qu'on constate dans les autres secteurs. Ainsi, le National Institute of Dispute a financé cinq expériences de médiation (dans les Etats du New Jersey, du Massachusetts, d'Hawaï, du Wisconsin et du Minnesota), pendant une période prédéterminée dans le cadre d'un programme de médiation mettant en œuvre des sommes importantes allant de 10 000 à 50 000 \$, avec pour principal objectif la démonstration de l'efficacité des modes alternatifs de résolution des conflits (et non pas uniquement de la médiation) dans une perspective de désencombrement des juridictions. En complément les organismes *étatiques* de médiation se voyaient assigner une mission de libération des services administratifs et législatifs, trop souvent paralysés par les conflits (L. Susskind, NIDR's State Office of Mediation Experiment, in *Negociation Journal,* octobre 1986, p. 324). Au-delà de l'expérimentation les programmes ont débouché sur un début d'institutionnalisation des nouveaux modes de règlement des conflits, pour surmonter la tendance à préférer les solutions judiciaires. Il s'agit maintenant de promouvoir l'information auprès des partenaires juristes, et des éventuels utilisateurs tant publics que privés. Des programmes favorisent l'établissement et la diffusion de listes de « médiateurs ». Une telle politique a permis la constitution de réseaux denses de « médiateurs » cimentés par une revue coéditée par deux instances aussi prestigieuses que le Program on Negociation (Harvard Law School) et le Massachusetts Institute of Technologie (le MIT). Dans le Wisconsin (L. Suskind, *op. cit.,* p. 525) l'institutionnalisation de l'expérience de « médiation » s'est produite à un haut niveau, puisque la responsabilité du programme reposait sur le secrétaire du Travail, de l'Industrie et des Ressources humaines, statuant au cas par cas, sans autre instance de « médiation », qu'un comité informel composé des principaux responsables des rouages de l'Etat).

L'objectif de règlement non juridictionnel a progressivement dépassé le cadre des litiges entre particuliers. Les projets prêtent une attention accrue aux litiges entre particuliers et service de l'Etat promoteur de l'instance de médiation. Le Wisconsin s'enorgueillit d'avoir résolu par la médiation le contentieux avec les tribus indiennes.

Cependant les citoyens n'abandonnent pas totalement le terrain, les avocats aussi se montrent d'actifs propagateurs de la médiation. Il est impossible de recenser des initiatives très dispersées et dont l'efficacité n'est souvent pas en proportion avec la notoriété. La médiation est souvent un travail de terrain, de fourmi en quelque sorte. La médiation la plus efficace étant, presque par définition, la plus mal connue.

Ce tableau ne prétend donner que de grandes tendances, il sera donc fait allusion à nouveau à la médiation aux Etats-Unis d'Amérique à l'occasion de l'inventaire des pratiques se prévalant de la médiation en France, lorsque l'exemple américain aura quelque pertinence dans le domaine mentionné.

2. La médiation familiale en Amérique du Nord. — La paternité du terme revient probablement à D. J. Coogler, avocat d'Atlanta qui ouvre en 1974 un bureau de pratique *privée* de médiation familiale, comme il le relate dans la présentation théorique de son expérience *Structured Mediation in Divorce Settlement* publiée en 1978. Le mouvement s'étend si vite qu'en 1982 on recense des médiateurs familiaux dans 44 Etats membres. La législation encadre bientôt ces initiatives spontanées, comme la loi californienne de 1980. (Pour une autre hypothèse sur l'origine du terme v. B. Bastard et L. Cardia-Voneche, L'irrésistible diffusion de la médiation familiale, *Annales de Vaucresson,* 2/1988, n° 29).

Au Canada, la médiation familiale est pratiquée indifféremment par des organismes gouvernementaux, des entreprises privées ou encore par des organismes privés sans but lucratif. En 1984 des services de médiation à la famille, généralement installés dans des palais de justice et gratuits témoignent de la propagation du phénomène (création le 1er avril 1984 du Service de médiation à la famille de Montréal). En 1986, la justice fédérale en recense 6 000. La part du secteur public y est notablement importante. Dans ce cadre, les services de conciliation judiciaire (c'est le terme souvent employé) promeuvent une pratique contrastée. Si les parties sont libres de recourir à la médiation et peuvent y renoncer en cours de route, le choix des médiateurs reste cependant très encadré par les techniques de l'agrément et de l'accréditation. Ces contraintes publiques n'offrent pourtant qu'une garantie superficielle faute de critères rationnels (l'exigence de formation reste floue), les responsables font confiance au cas par cas sur des critères subjectifs, d'obédience à tel mouvement de médiation, ou d'appartenance à tel milieu professionnel travaillant habituellement en liaison plus ou moins étroite avec l'appareil judiciaire. Certains feront plus spontanément confiance à des juristes d'autres à des psychologues, des thérapeutes familiaux ou encore à des travailleurs sociaux. C'est une des faiblesses du système canadien.

Le rattachement de la médiation à la conciliation, dont elle devient un simple moyen, est la deuxième et principale faiblesse du système canadien, particulièrement perceptible dans la loi québécoise. Issue du projet 14, présenté le 13 mai 1992 et sanctionné le 10 mars 1993, elle modifie le Code de procédure civile concernant la « médiation » familiale. Elle illustre bien les principales caractéristiques que la « médiation » en service public présente au Canada.

En voici les dispositions essentielles. Selon l'article 815-2 nouveau du Code de procédure civile, le tribunal peut à tout moment, avant le jugement et avec le consentement des parties, pour une période qu'il détermine ajourner l'instruction « en vue de favoriser soit la réconciliation, soit la conciliation des parties notamment par la médiation ». On le voit la « médiation » ne figure ici que comme un moyen au service de la conciliation. L'article 815.2.1 CPC prévoit deux cas selon que le juge (avec l'accord ultérieur des parties) ou les parties ont l'initiative de la « médiation ». Le tribunal adresse les parties au Service de médiation familiale de la Cour supérieure, le Service désigne un « médiateur » et fixe la date de la première rencontre qui ne doit pas excéder le vingtième jour de l'ordonnance d'ajournement de l'instruction. Quand les parties ont l'initiative, elles choisissent elles-mêmes le « médiateur ». Dans les deux cas, il s'agira de « médiateurs » accrédités. Le gouvernement désigne les personnes, organismes ou associations pouvant accréditer un médiateur. La loi laisse au gouvernement le soin de définir par règlement les conditions auxquelles un « médiateur » doit satisfaire pour être accrédité, ainsi que les règles et obligations auxquelles doivent se conformer les personnes, organismes ou associations pouvant accréditer un médiateur.

Dans ce cadre, le « médiateur » est un véritable mandataire de justice, au même titre que le réconciliateur et le conciliateur (termes utilisés par la loi d'une manière difficile à différencier parfois) ce qui permet au gouvernement de fixer le tarif des honoraires payables par le Service de « médiation » familiale de la Cour supérieure (art. 827.4 CPC).

II. — Le développement
de la « médiation » en Europe :
l'exemple de la médiation familiale

La médiation familiale (il vaudrait mieux dire conjugale, mais l'habitude est prise) a connu un développement large et précoce en Grande-Bretagne. Sur la base d'une réflexion théorique préalable, le Finer Report de 1974, les services se réclamant soit de la « médiation » soit de la conciliation apparaissent notamment à Bristol dès 1977. On trouve bientôt dans cette ville aussi bien un service de conciliation judiciaire intégré au tribunal même, qu'un Service de médiation des familles indépendant de la justice. On estime qu'au début des années 1980 la médiation familiale s'est généralisée en Grande-Bretagne (Lisa Parkinson, La médiation en matière de divorce, Grande-Bretagne, *Le Groupe familial,* 1989, n° 125, p. 49 ; Gwynn Davis, La conciliation en Angleterre, *ibid.,* p. 78). Aujourd'hui encore on perçoit les deux tendances d'origine :

A) *La « médiation-conciliation » judiciaire,* étape préliminaire imposée par le juge aux conjoints ayant introduit une demande de divorce pour réfléchir sur la garde des enfants. C'est une « médiation » publique très liée à la procédure judiciaire. Elle incombe à un conciliateur qui sera soit un juge *(registrar)* soit un travailleur social du tribunal. Les appréciations portées sur ce type de « médiation-conciliation » s'explique parles liens qu'elle entretient avec le tribunal et les services sociaux de celui-ci. Les utilisateurs, sondés à la demande du ministère de la Justice par une équipe de l'Université de Newcastle (Gwynn Davis, préc. p. 80), apprécient sa gratuité mais se montrent déroutés par son caractère obligatoire, sa brièveté (une seule entrevue de deux heures) l'attitude interventionniste et ambiguë des travailleurs sociaux-médiateurs. La « médiation-conciliation » prend parfois des allures inquisitoires.

B) *La formule associative indépendante* des tribunaux, opérant dans une cinquantaine de villes des médiations à la demande des intéressés. Il s'agit le plus souvent de comédiations, faisant intervenir un avocat et un conseiller formé aux sciences humaines. Elle se distingue de la formule judiciaire par son caractère volontariste mais aussi par d'autres traits qui montrent la richesse et la souplesse des formules associatives. La durée et le nombre des séances correspondent au besoin des partenaires (en moyenne deux à cinq séances). Dégagées du stéréotype judiciaire les associations ont pu percevoir les finesses de la demande de médiation. Elles distinguent ainsi deux types de médiations : la médiation partielle qui ne concerne que la situation de l'enfant des divorçants, la médiation globale qui prend aussi en compte les aspects financiers du divorce. C'est la Family Mediators Association créée à Londres en 1988 qui offre cette possibilité. Gwynn Davis faisant état d'études portant sur la formule en donne un bilan mitigé, les principaux reproches qu'elle mentionne proviennent certainement de la légèreté de la « formation » des conciliateurs (c'est le terme qu'elle emploie, art. préc. p. 82-83).

La tenue à Caen en 1991 des premières journées européennes de la médiation familiale a permis de mesurer la propagation du mouvement tant dans les pays anglo-saxons que latins.

Chapitre II

INVENTAIRE PROVISOIRE DES PRATIQUES DE MÉDIATION EN FRANCE

Pour ample qu'il soit, le phénomène reste encore mal étudié. Il est donc indispensable d'en dresser un rapide inventaire provisoire qui permettra de prendre sa mesure, et de faire connaître secteur par secteur les pratiques qui se réclament de la médiation, sans vérification de leur titre à le faire. Selon les secteurs l'emprise du modèle nord-américain sera forte ou nulle. Dans certains secteurs la France construit son propre système avec ses propres références.

C'est une gageure de réduire à quelques rubriques un phénomène qui concerne tous les secteurs de la vie en société, aussi bien la sphère intime de la famille que la scène politique en passant par le secteur public. Il faut signaler sans le traiter le développement futur de la médiation en entreprise qui se cherche actuellement mais qui sera riche en raison de la complexité du monde de l'entreprise et de ses aspects transnationaux.

I. — La médiation familiale

1. **Tableau général.** — En France, dans la floraison des pratiques de médiations familiales deux tendances apparaissent.

A) *Une première tendance,* la médiation conjugale et le conseil conjugal : introduite par des avocats, des assistantes sociales et des psychologues ayant suivi des stages au Québec, transpose purement et simplement le modèle canadien. Pour gagner du temps, ils utilisent les procédés élaborés dans le cadre judiciaire canadien, et se contentent, au début, d'une « formation » sommaire des médiateurs familiaux (un stage de sensibilisation et un entraînement rapide en cinq jours) calquée sur les programmes d'outre-Atlantique. Cette tendance se consacre presque exclusivement à la gestion du divorce et aux conflits dont les enfants sont l'enjeu. Elle limite son attention aux problèmes de couple, l'enfant n'y apparaissant qu'à travers le problème de sa garde. L'emprise du modèle anglo-saxon et québécois se perçoit à travers cette stricte délimitation. L'Association pour la promotion de la médiation familiale, l'Ecole des parents, l'Association française des centres de consultation conjugale (AFCCC), Divorcer autrement, APEC 94, l'Institut européen de la médiation sont dans cette ligne. L'ouvrage de Mme Topor, *La médiation familiale* (« Que sais-je ? », n° 2663) rend bien compte de cette conception étroite de la médiation familiale.

B) *La deuxième tendance* qui propose une solution française originale fondée sur une réflexion nourrie et une formation à la fois généraliste et approfondie. Elle ne se limite pas à la résolution des conflits mais s'intéresse à tout ce qui concerne les relations familiales et comprend dans son champ d'action la famille au sens large du terme, en s'intéressant aux ascendants et aux collatéraux. Actuellement une quarantaine d'associations regroupées dans une fédération, le Comité national des services de médiation familiale (siégeant à Caen), et l'Association nationale des médiateurs (secteur famille) représentent au sein du CNM ce courant. Pour le Centre national de la médiation (CNM), la médiation familiale va bien au-delà de la famille nucléaire. Elle s'intéresse aux relations tant transgénérationnelles, que collatérales. Les médiations peuvent s'effectuer entre frères et sœurs à l'occasion de successions difficiles, ou dans des services de soins palliatifs lorsque le malade en fin de vie veut renouer avec quel que membre de sa famille que ce soit. Les relations parents enfants à l'occasion de difficultés scolaires, les relations familiales distendues par l'éloignement social, culturel, ou géographique, les familles recomposées offrent on le voit un large champ à la médiation familiale.

C) *Evolution.* — Même si progressivement la première tendance, d'obédience canadienne, a intégré les apports de la seconde, en particulier en remplaçant l'entraînement à la médiation par une formation inspirée par elle, on ne peut encore parler de rapprochement entre les deux courants. Il faut donc parler des médiations familiales et non de la médiation familiale pour rendre compte de pratiques incompatibles entre elles. Au-delà de cette distinction la France se caractérise par la force du mouvement associatif, la médiation familiale est née et se développe dans la société civile. Les associations offrent à la médiation leurs locaux, leurs membres, et assurent la formation de ces derniers.

II. — **La médiation civique**

1. **Généralités.** — Il est bien difficile de trouver un terme assez général pour caractériser les exemples de médiation dont il va être question. Sans être irréprochable le terme de médiation civique offre certains avantages puisqu'il informe à la fois sur le cadre de cette médiation (la cité) et sur le moteur civique qui l'engendre. La volonté de « faire quelque chose », de sortir de la passivité et de restaurer le lien social, est à l'origine de cette forme de médiation, parfois aussi appelée médiation citoyenne.

Il faut le préférer au terme de médiation sociale qui pourrait tout englober (il n'y a de médiation que sociale), et qui de plus peut entraîner une confusion avec un autre secteur de la médiation, celui des conflits du travail. L'expression médiation communautaire employée par J.-P. Bonafé-Schmitt (*La médiation, une justice douce,* Alternatives sociales, 1992), conviendrait bien sans le risque de confusion avec la médiation concernant la communauté européenne, qui ne manquera pas de se développer.

Il faut pourtant bien une expression suffisamment vide-poches pour désigner la « pratique sociale proliférante et polymorphe, issue dans la plupart des cas de ruptures de la communication, des opacités et des blocages d'un système social compliqué à l'extrême, de la sophistication des appareils administratifs et juridiques », dont parle Paule Paillet dans un article « Médiations par milliers » (in *Informations sociales,* numéro spécial de 1982 sur *Les médiations,* n° 4, p. 6) où elle présente l'action des multiples individus et des associations qui, le plus souvent *en dehors des pouvoirs publics* contribuent au maintien ou à la restauration du lien social. Le terme médiation civique traduit aussi la caractéristique dominante de ce secteur de médiation : l'impulsion initiale vient toujours de particuliers, l'intervention des pouvoirs publics vient après. On retrouve tous ces éléments dans l'expression américaine *community board* désignant un centre dans lequel une équipe autonome de citoyens régulent la vie d'une partie de la ville notamment par la résolution des conflits en dehors de l'action de la police et des tribunaux (v. *supra,* chap. 1, L. 1).

L'Association Droits de l'homme et solidarité (fondée en 1980) qui est à l'origine de SOS Agressions-Conflits et de l'ensemble constitué par l'Institut de formation à la médiation (en 1987), le Centre national de la médiation (1988) et la Maison de la médiation (1989) illustre particulièrement bien le cheminement civique qui mène à la médiation.

2. **Tableau.** — Les Médiations Ville-Quartier-Voisinage : ce titre inspiré d'une des commissions du Centre national de la médiation met en valeur un noyau dense de la médiation civique. Les actions suscitées par les difficultés de la vie urbaine offrent un exemple parti-

culièrement pertinent de cette dualité d'initiative, publique et privée, tantôt parallèles, tantôt complémentaires, éventuellement concurrentes.

A) *L'initiative des pouvoirs publics* se manifeste par la création de structures administratives.

1 / *Initiatives des autorités nationales :* la Commission nationale pour le développement social des quartiers créée en 1981, puis la Délégation interministérielle à la ville et au développement social urbain créée en 1988, favorisent les instances de médiation dans les quartiers difficiles. Par ces instances, l'Etat orchestre les initiatives concourant à l'amélioration de la vie urbaine.

2 / *Initiatives des autorités locales :* l'initiative en revient à des maires soucieux d'éviter la détérioration de la vie dans certains quartiers de leur ville.

Paul Picard a joué un rôle pionnier à Mantes-la-Jolie dans la collaboration entre la municipalité et les associations de quartier. Les initiatives des maires s'appuient souvent sur des associations ou sur des citoyens ayant un lien avec le quartier ou la ville concernée, soit qu'ils y travaillent, soit qu'ils y résident. Le service médiation d'Epinay-sur-Seine fonctionne selon ce principe. M. Cardo, maire de Chanteloup-les-Vignes fait aussi grand usage de l'action civique avec son équipe de messagers RATP : « Il ne s'agit pas d'encourager le caïdat, ni de mettre sur pied une police municipale, mais simplement de régler les tensions par la médiation » (*Le Monde,* 1er février 1994).

On peut enfin faire état de médiations scolaires qui à elles seules concentrent tous les aspects de la médiation civique (ex. celles effectuées dans le quartier du Val Fouré à Mantes-la-Jolie par Radouane Atroussy issu du mouvement associatif, puis agissant au titre du service civil sur proposition de l'adjoint au maire).

B) *Les initiatives privées* ne manquent pas, comme celle d'une association de médiation lyonnaise, Thémis, qui pratique la médiation de quartier par laquelle « des citoyens se réapproprient leurs conflits » et tend « à établir la communication, à recréer la solidarité, à restaurer la paix sociale » (présentée par Nicole Schmutz dans l'édition Rhône-Alpes du *Monde* le 27 avril 1988). Les boutiques du droit sont des structures de proximité très variées. D'autres expériences assez proches reposant elles aussi sur le bénévolat et le tissu associatif, mériteraient d'être mentionnées. On se limitera à deux, choisies à cause de l'imbrication complexe, des acteurs publics et privés qu'elles réalisent. L'expérience de l'Association Service public, créée à l'initiative de la commune de Villeneuve d'Ascq qui informe, conseille, aiguille les habitants en quête de solutions amiables à leurs difficultés juridiques de tous ordres. L'expérience des MVM de Mulhouse (médiateurs volontaires mulhousiens) simples citoyens, soucieux de paix publique, voulant servir de trait d'union entre les habitants de la ville par leur présence ostensible dans les quartiers qu'ils irriguent largement. Ils fournissent une aide aux démarches administratives, judiciaires, juridiques ou tout simplement délicates, une assistance aux personnes en détresse, un accompagnement aux personnes âgées ou un renforcement de la sécurité à la sortie des écoles.

Dans une conférence donnée à l'Institut de formation à la médiation en juin 1990, René Lenoir insistait sur l'importance de la médiation préventive face à la société duale et ses dangers. Dans ce contexte, la cité devient le lieu d'indispensables médiations.

III. — La médiation sociale

1. **Généralités.** — Elle couvre le même champ que le droit social, sans empiéter sur le champ de la médiation en entreprise. Elle est multiforme, reposant parfois sur la mission générale du juge, soit sur la loi de 1971 qui l'introduit facultativement dans le règlement des conflits sociaux au même titre que la conciliation et l'arbitrage. Le rapport Auroux de 1981 témoigne une préférence pour la médiation. Les succès obtenus par la médiation de J.-J. Dupeyroux lors des conflits Citroën et Talbot de mai et juillet 1982 ont favorisé l'adoption de la loi du 13 novembre 1982 permettant la mise en œuvre directe de la médiation, sans recours préalable à la conciliation.

Dans de nombreux pays, tant d'Europe occidentale, que d'Amérique du Nord et du Sud, elle constitue un préalable obligatoire à tout procès voire même la première étape de la procédure juridictionnelle. Sous l'appellation médiation ou conciliation elle fait partie de la fonction du juge.

Les bases d'intervention d'un médiateur ne manquent pas ce qui explique l'acclimatation de « l'institution prétorienne de la médiation » (pour reprendre la formule explicite de P. Drai, Libres propos sur la médiation judiciaire, in *Etudes offertes à P. Bellet,* Paris, Litec, 1991, p. 123). Qu'on en juge par cette liste indicative. Cela va de la loi de 1892 confiant au juge de paix le soin de diligenter une conciliation pour prévenir les grèves, à la conception initiale du conseil de prud'hommes à des textes plus récents comme la loi du 11 février 1950 instaurant une obligation de recourir à la conciliation, et surtout le décret-loi du 5 mai 1955 et plus récemment le rapport Auroux de 1981, précité, créant un climat favorable à la médiation. Il s'agit en réalité d'un support favorisant toute technique d'évitement du procès, aussi bien la médiation ainsi conçue que la conciliation avec tous les risques de confusion entre les deux procédés.

2. **Illustrations.** — Selon une présentation fréquente, la médiation repose sur les mêmes bases que la conciliation aussi bien dans les conflits collectifs du travail que les conflits individuels. Dans les deux cas, le droit étatique organise ou admet diverses formes de « médiation ».

1 / Dans les différends individuels : Le juge entend parfois jouer lui-même un rôle sur la base de l'article 21 (NCPC : Nouveau Code de procédure civile), établissant qu'il entre dans la mission du juge de concilier. Mais malgré leur développement parallèle, la médiation n'étant pas la conciliation il vaut mieux dire que l'article 21 crée un climat favorable à la recherche de solutions non juridictionnelles plutôt que d'y voir la base juridique de la médiation. En revanche, certaines conventions et accords collectifs renvoient expressément à la médiation en organisant des procédures paritaires de médiation dans le cadre

d'une branche professionnelle ou d'une entreprise. Ainsi l'accord sur le développement du rôle et des moyens des organisations syndicales intervenu en octobre 1991, dans le secteur de la distribution et de la restauration du groupe Casino, pour les conflits graves d'ordre individuels qui n'auraient pu trouver de solution dans le cadre des instances prévues à cet effet. Mais comme souvent les termes médiation et conciliation se distinguent mal puisque les commissions paritaires de « médiation » offrent une possibilité de conciliation. La loi du 8 février 1995 sur la médiation judiciaire et son décret d'application du 22 juillet 1996 vont permettre l'essor de la médiation en matière de conflits individuels du travail. Les chambres sociales des cours d'appel de Paris et de Grenoble la proposent systématiquement (CA Grenoble, 9 mars 1998).

2 / Dans les conflits collectifs on trouve des exemples variés d'utilisation des procédés de médiations prévus ou permis par le droit français y compris la médiation obligatoire prévue à l'article L. 524-1 du Code du travail. A signaler aussi l'article L. 523-6 qui prévoit qu'en cas d'échec de la procédure de conciliation, le conflit est soumis soit à la procédure de l'arbitrage soit à la procédure de médiation décrite aux articles L. 524-1 et s. D'une manière générale la médiation intervient :

a) A l'initiative du juge : depuis une vingtaine d'années comme le signale A. Jeammaud (Actes du colloque de Lausanne, *La médiation : un mode alternatif de résolution des conflits ?,* 14 et 15 novembre 1991, p. 42), dans un mouvement de « judiciarisation » des conflits du travail, certains juges puisent dans la nature de leur mission le pouvoir d'imposer le recours à la médiation. Certains présidents de tribunaux de grande instance, saisis en référé par des employeurs aux fins d'expulser des grévistes, mandatent des tiers indifféremment qualifiés techniciens, consultants, conciliateurs, et depuis l'engouement pour le terme des médiateurs. Le tiers joue un rôle stratégique mais complexe. Par mandat de justice il reçoit mission de faire un rapport au magistrat avant la décision d'expulsion. Mais la préparation du rapport donne au médiateur l'occasion de stimuler la négociation entre l'employeur et les occupants de l'entreprise. La « médiation » s'effectue dans un contexte de pression sur l'employeur puisque le magistrat ne prononce la décision d'évacuation que si les négociations échouent par la mauvaise volonté des grévistes et non la sienne, à l'appréciation du médiateur. Les magistrats fondent leur pratique sur l'article 21 NCPC qui servirait même de fondement à une médiation effectuée par eux.

La nomination d'un médiateur tend à devenir l'objet de demandes adressées au juge des référés par certains syndicats. Il arrive que le défendeur conclue devant le juge au rejet d'une requête visant à imposer une « médiation », situation pour le moins curieuse. La direction d'une chaîne publique de la télévision française a refusé le principe d'une médiation confiée à l'ancien premier président de la Cour de cassation, et demandée au président du tribunal de grande instance de Paris par les syndicats qui contestaient son plan de suppression d'emplois. Il semble en effet difficile d'ordonner dans ce contexte une « médiation ». A titre d'illustration, dans le conflit qui oppose la COGEMA, propriétaire de la mine d'or de Bourneix, aux mineurs en grève, le président du TGI de Limoges a nommé un médiateur du service régional de l'inspection du travail pour poursuivre les négociations.

b) Les médiations à l'initiative du gouvernement concernent le plus souvent de grandes entreprises publiques ou privées, dont le caractère stratégique ou le prestige rend nécessaire une intervention étatique. Depuis la médiation exemplaire de J.-J. Dupeyroux déjà mentionnée, le procédé a servi à plusieurs reprises :

— la médiation de Bernard Brunhes dans le conflit de la RATP mission confiée par Michel Delebarre, ministre des Transports, le 25 novembre 1988 ;
— la médiation de Gilbert Bonnemaison en octobre 1988 à l'occasion de la grève des gardiens de prisons, bien sûr c'est une grève qui intervient dans le secteur public, mais c'est avant tout un conflit social ;
— la médiation effectuée par Gilles Bélier en février 1989 lors de la longue grève du personnel d'une entreprise privée, la COMATEC chargée du nettoyage du réseau RATP. Là encore, il s'agit d'une initiative gouvernementale, ici celle de J.-P. Soisson, ministre du Travail.

En juillet 1989, la CGT a demandé au président de la République de désigner un médiateur dans l'affaire de la réintégration des dix salariés de Renault-Billancourt. Le ministre du Travail a nommé à la demande du président un « Monsieur Bons-Offices » Jean Lavergne, inspecteur général des affaires sociales.

3 / Sans être des médiateurs, *les inspecteurs du travail* manifestent depuis longtemps d'une propension à la médiation, encouragée par le rapport Sudreau de 1975 et

depuis peu par la création d'équipes formées à la conciliation à la médiation et à la psychologie (H. Touzard, *Propositions destinées à améliorer l'efficacité de la médiation dans les conflits du travail, Droit social,* 1977 ; P. Viano, le rôle de l'inspection du travail dans le règlement des conflits collectifs, *DS,* 1977, p. 94). La part de leur activité assimilable à la médiation, ne saurait être sous-estimée si on en croit un rapport du ministère du Travail cité par A. Jeammaud (Les contentieux des conflits du travail, in *Droit social,* 1988, n° 9-10, p. 697) en 1986 les inspecteurs du travail seraient intervenus dans 599 conflits, soit 42 % des conflits enregistrés dans l'année et auraient contribué à la conclusion de 421 transactions. De tels chiffres ne tiennent naturellement pas compte des médiations informelles qu'ils pratiquent entre les PME et leurs salariés, parfois par téléphone. S'il leur arrive de favoriser le dialogue entre partenaires sociaux ou belligérants, selon le cas pour favoriser le règlement négocié des difficultés sociales, la nature de la mission première des inspecteurs du travail fournit un butoir d'importance à leurs activités de médiation. Ils demeurent des fonctionnaires investis d'une mission de contrôle et de prérogatives de puissance publique qui contraste avec la base contractuelle de leur activité complémentaire de médiation. Certains inspecteurs par crainte d'un brouillage d'image préfèrent se cantonner à une conception stricte de leur mission de contrôle de l'application de la législation et de la réglementation du travail, assortie d'un pouvoir de sanction. Quelques juges ne redoutant pas ce risque de brouillage, désignent l'inspecteur du travail comme médiateur.

La médiation sociale est cependant loin de faire l'unanimité, si une partie des patrons la préconisent, et une partie des syndicats la demandent (Colloque de la CFTC du 20 avril 1989), elle suscite aussi beaucoup de méfiance. Si dans un autre domaine, celui des rapports interentreprises, le CNPF a mis sur pied l'ARDIC, association assurant une offre permanente de médiation et de conciliation dans un cadre de discrétion absolue et de solidarité patronale, pour lui, la médiation doit dans les conflits sociaux rester exceptionnelle. Selon la formule de

Claude Archambault, secrétaire général de la commission sociale du CNPF, la médiation est comme les prothèses, on peut l'envisager dans le principe, mais il vaut mieux ne pas avoir à s'en servir. Des spécialistes de droit du travail semblent craindre que le développement d'un « authentique mythe de la médiation » fasse perdre de vue les aspects bénéfiques et protecteurs du droit du travail (A. Jeammaud, art. précité, p. 45).

IV. — **La médiation dans le secteur public**

Il s'agit ici d'une médiation investie d'une autorité institutionnelle parfois au plus haut niveau comme le Médiateur de la République, son insertion dans la Constitution a même été envisagée. D'une manière générale, les médiateurs prennent la forme juridique d'autorités administratives indépendantes. Une note « Amélioration des relations entre les services publics et leurs usagers », n° 4-182 du 23 février 1994 d'É. Balladur, alors premier ministre, préconise le développement d'une fonction de médiation.

1. **Le Médiateur de la République.** — Il a fêté ses 25 ans lors d'un colloque organisé les 5-6 février 1998. Ses homologues étrangers s'appellent Défenseur du peuple pour l'Espagne, Ombudsman (celui qui est habilité à agir pour autrui indique l'étymologie) dans les pays scandinaves, commissaire parlementaire en Grande-Bretagne, appellation correspondant à un aspect déterminant de leur nature qui les place parmi les modes de contrôle du pouvoir, plus que de médiation. Le législateur français a préféré dans la loi du 3 janvier 1973 qui crée l'institution l'appeler médiateur et lui dénier l'intitulé complémentaire de défenseur des droits et des libertés proposée par amendement parlementaire, pour en faire « l'intercesseur gracieux entre le citoyen et l'administration » selon l'expression de M. Pleven. La terminologie reflète l'esprit de conciliation qui inspire le modèle français à l'exclusion d'un esprit de contrôle ou de censure de l'administration. Il ne faut pas perdre de

vue cette donnée fondamentale pour comprendre les principaux aspects de l'institution :

A) *Son statut.* — Le Médiateur de la République est nommé par décret du président de la République en Conseil des ministres et non par le Parlement pour éviter que l'administration le ressente comme un instrument de contrôle parlementaire. Il reste le soupçon inverse celui d'être perçu comme un super-fonctionnaire, mais, chaque médiateur ayant à cœur de l'écarter, n'est-ce pas paradoxalement une stimulation ? Son mandat de six ans non renouvelable ne peut être écourté sauf empêchement constaté à l'unanimité par un collège comprenant le vice-président du Conseil d'Etat, le premier président de la Cour de cassation et le premier président de la Cour des comptes. Il bénéficie d'une immunité analogue à celle des parlementaires pour les opinions émises ou les actes accomplis dans ses fonctions. L'article 69 de la loi du 13 janvier 1989 le qualifie d'autorité indépendante, ce qui diffère notablement de la malencontreuse expression « autorité *administrative* », utilisée par le Conseil d'Etat dans son arrêt d'Assemblée Retail du 10 juillet 1981. L'article 1 de son statut prévoit qu'il ne reçoit d'instruction d'aucune autorité.

B) *Sa saisine,* peu formaliste (gratuite, et sans condition de délai) par ailleurs, passe par le filtre d'un député ou d'un sénateur, pour préserver le rôle d'intercesseur privilégié du parlementaire. Les administrés doivent convaincre un parlementaire de la nécessité de transmettre leur requête au Médiateur. Le parlementaire vérifiera que l'administré a bien fait les démarches nécessaires auprès du service concerné pour éviter les saisines intempestives. Le Médiateur ne peut se saisir lui-même. Un parlementaire peut saisir le Médiateur de sa propre initiative. Le Sénat ou l'Assemblée nationale peuvent aussi lui transmettre des pétitions qui leur seraient adressées. La loi du 6 février 1992 relative à l'administration territoriale de la République accorde aux personnes morales le droit de saisir le Médiateur. Les agents des services publics ne le peuvent toujours pas en cas de litige avec leur administration. La saisine du Médiateur, ne doit pas amoindrir la vigilance de l'administré, car elle n'interrompt pas le délai de deux mois pour saisir une juridiction administrative.

Dans la pratique le Médiateur ne refuse pas une réclamation qui aurait le seul tort de lui être transmise directement. Il demandera à l'administré de régulariser sa réclamation grâce à la bienveillance d'un parlementaire. Il fallait bien faire preuve d'un tel réalisme depuis la mise en place des délégués départementaux du Médiateur pour permettre la déconcentration de l'institution. En effet ceux-ci d'abord désignés à titre expérimental en 1978 par M. Pacquet, avec une simple mission d'information et de conseil, ont reçu avec la consécration du décret du 18 février 1986 la faculté de participer activement et directement au règlement des litiges quand cela leur paraît possible. Or leur saisine est directe. Il existe actuellement 111 délégués départementaux sur l'ensemble du territoire national, assurant une permanence deux fois par semaine en général à la préfecture.

C) Il ne faut pas sous-évaluer *ses pouvoirs*. Bien sûr le Médiateur ne reçoit aucun pouvoir de décision, pour régler les réclamations qu'il reçoit, mais ses pouvoirs généraux progressivement assortis de prolongements lui confèrent un poids non négligeable.

a) Intercession et proposition de réformes. — L'article 6 de la loi du 3 janvier 1973 lui donne pour mission générale propre de déterminer si l'organisme visé dans la réclamation a fonctionné conformément à sa mission de service public. Il doit rechercher une solution aux réclamations qu'il estime recevables. Dans ce cadre il bénéficie d'un large pouvoir d'enquête, toute la hiérarchie administrative doit collaborer à son action et mettre à sa disposition tous les documents, dossiers demandés sans pouvoir invoquer leur caractère secret ou confidentiel. L'article 13 n'admet qu'une exception en matière de secret concernant la défense nationale. Les fonctionnaires qu'il convoque ne peuvent se dérober. Les corps et services d'inspection doivent effectuer les vérifications et les enquêtes qu'il demande. En qualité *d'intercesseur*, il peut faire aux administrations toutes recommandations de nature à régler en droit ou en équité le dysfonctionnement dont il est saisi. Les administrations mises en cause doivent informer le Médiateur dans un délai fixé par ce dernier, des suites données à son intervention. Le Médiateur transmettra au parlementaire qui l'avait saisi. Faute d'une réponse satisfaisante et prompte, le Médiateur peut rendre publiques ses recommandations négligées. Le Médiateur dispose donc de moyens importants quand il examine la réclamation d'un administré. Néanmoins sa mission n'empiète pas sur celle des juridictions, car « le Médiateur ne peut intervenir dans une procédure engagée devant une juridiction, ni remettre en cause le bien-fondé d'une décision juridictionnelle ». Le Médiateur peut cependant parallèlement à l'instance faire des recommandations à l'administration partie au litige. Il peut, par exemple, la guider vers une solution amiable. Il pourra aussi la conseiller sur la manière d'exécuter le jugement si le litige va jusqu'à cette extrémité. La loi du 24 décembre 1976 renforce ses pouvoirs en introduisant la notion d'équité dans les éléments d'appréciation de la réclamation et en permettant au Médiateur de suggérer des *réformes* pour éviter le renouvellement d'une iniquité constatée. Par cette fonction d'initiative, le Médiateur passe « de l'examen des situations particulières à la critique des textes de portée générale » (J. Pelletier, Vingt ans de médiation à la française, in *Revue française d'administration publique,* n° 64, 1992, p. 604). Il a depuis 1976 suggéré la modification de textes législatifs et réglementaires dans un but de simplification, d'humanisation et de clarification du fonctionnement de l'administration française.

b) Des pouvoirs complémentaires renforcent son action. — Le Médiateur peut vaincre l'inertie d'une administration qui n'engagerait pas de poursuites disciplinaires ou pénales contre un agent fautif en se substituant à elle. En cas d'inexécution par l'administration d'un jugement devenu définitif, il peut lui enjoindre de s'y conformer dans un délai qu'il fixe. Si l'administration néglige l'injonction le médiateur rédigera un rapport spécial publié au *Journal officiel.* Il s'agit d'une possibilité plus importante qu'il n'y paraît. Avec la publication de son rapport annuel destiné au Président de la République et au Parlement, elle contribue à sa « magistrature d'influence » (J. Pelletier, *op. cit.*, p. 607) du Médiateur. Les 5 médiateurs qui se sont succédé l'ont tous utilisée : M. Antoine Pinay, de février 1973 à juin 1974 ; M. Aimé Paquet, de juin 1974 à juin 1980 ; M. Robert Fabre, de septembre 1980 (on notera l'interruption) à février 1986 ; M. Paul Legatte, de février 1986 à février 1992 ; M. Jacques Pelletier, de mars 1992 à mars 1998 ; M. Bernard Stasi, depuis avril 1998 (v. B. Delaunay, *Le Médiateur de la République,* « Que sais-je ? », n° 3422, PUF, 1999).

2. **Les autres médiateurs dans le secteur public.** — Ils se développent à profusion. Il devient difficile d'en présenter un tableau complet et de discerner une rationalité d'ensemble (v. deux tentatives : Michèle Guillaume-Hofnung, *La médiation* (*AJDA,* 1997, p. 30 à 41), et La médiation dans le secteur public, in *La médiation,* ouvrage collectif, coll. « Profession Avocat »).

On peut identifier deux grandes vagues :

A) *La médiation de conflits,* le plus souvent de *type vertical,* c'est-à-dire entre une institution et son public ou son personnel. Par exemple :

— Le médiateur de la RATP, créé en 1990, le médiateur de la SNCF créé en 1994, ou le médiateur de la Poste en 1995. Leur création résulte toujours d'un protocole d'accord entre la direction de l'organisme public et des associations de consommateurs ou d'usagers.

— Le médiateur du CNRS créé par la décision n° 95-3157 de la direction du CNRS intervient pour résoudre les différends survenant dans la vie interne de l'établissement entre le personnel et la hiérarchie.

— Le médiateur de l'Éducation nationale : le décret n° 98-1682 du 1er décembre 1998 instaure un dispositif complexe de médiation qui doit de plus éviter d'entrer en concurrence avec le Médiateur de la République dont il s'inspire officiellement.

— Les médiateurs chargés par une collectivité locale de concilier les administrés et la collectivité. Il s'agira le plus souvent d'une commune. Le médiateur de la ville de Paris existe depuis 1977. Il s'agit toujours d'un adjoint au maire.

— Les médiateurs du secteur audiovisuel public : en 1988 France Télévision a lancé le mouvement en nommant deux médiateurs pour l'information, un pour France 2, un pour France 3, ainsi qu'une médiatrice commune pour les programmes de France Télévision.

Certains médiateurs interviennent dans les *conflits horizontaux,* c'est-à-dire entre administrés placés sur un même plan, le médiateur se conduisant comme une sorte d'arbitre public entre les intérêts particuliers.

Le médiateur du cinéma. — Créé par l'article 92 de la loi n° 82-652 du 29 juillet 1982 qui le charge d'opérer la *conciliation* préalable des litiges relatifs à la diffusion en salle des œuvres cinématographiques et dus aux monopoles de faits, aux positions dominantes, ainsi qu'à toute autre situation ayant pour objet ou pour effet de restreindre ou de fausser le jeu de la concurrence, révélant l'existence d'obstacles à la plus large diffusion des œuvres cinématographiques conforme à l'intérêt général. Les contours de sa mission restent larges et les titulaires de la fonction le ressentent ainsi qui y voient une mission de régulation pragmatique du marché (J.-F. Lacan, un entretien avec M. J. Vistel, médiateur du cinéma, *Le Monde,* 10 novembre 1988). S'il a mission de rechercher l'accord entre les parties il reçoit un pouvoir d'injonction à leur encontre pour préciser les mesures qui lui paraissent de nature à mettre fin à des situations litigieuses. Il y recourt d'une manière croissante (0 dans l'exercice 1995-1996 ; 3 en 1996-1997, et 5 en 1997-1998).

Le texte prend la précaution d'exclure de sa compétence les conflits relevant de procédures de conciliation ou d'arbitrage.

Le décret n° 83-86 du 9 février 1983 précise les modalités de sa nomination, de son fonctionnement et ses pouvoirs. Il est nommé pour quatre ans, par décret, sur le rapport du ministre chargé de l'Économie et des Finances, après avis de la Commission de la concurrence. Le médiateur doit nécessairement appartenir soit au Conseil d'État, soit à la Cour des comptes, soit à la Cour de cassation.

Cette autorité administrative indépendante est avant tout un mécanisme étatique de régulation et de contrôle, pouvant utiliser la conciliation (Y. Robineau, Le médiateur du cinéma (un exemple de procédure de conciliation au service du droit, in *Mélanges Braibant,* 1996, p. 615 s.).

Les services de médiation des offices publics d'ʜʟᴍ interviennent dans les conflits de voisinage entre locataires, le plus souvent dus au bruit. A ce sujet le service « hygiène et environnement » de la ville d'Angers intervient en amont d'une éventuelle poursuite judiciaire pour régler selon un système très particulier de médiation combinant un arsenal de moyens combinant la contrainte, l'autorité et le dialogue.

Le système de médiation familiale mis en place par les Caisses d'allocations familiales pour convaincre les débiteurs de pensions alimentaires utilise un dosage comparable de contrainte sous-jacente et de dialogue pour obtenir une conciliation (Actes du colloque de Clermont-Ferrand du 15 octobre 1998).

Les services municipaux de médiation se distinguent du médiateur municipal *(supra)* chargé de régler des conflits verticaux (administration/administré) en ce qu'ils règlent dans le cadre d'un service public des conflits entre particuliers. Les conflits de voisinage, les rapports locatifs, les litiges de consommation constituent de leur activité.

B) *La médiation de maillage social* regroupe des actions tant nationales que locales présentées *supra* (II). Elle se développe sous la pression des besoins souvent révélés par des faits divers dramatiques, sans grande réflexion d'ensemble ni cohésion. Elle est souvent assurée dans le cadre d'emplois jeunes en faisant l'impasse sur la formation. Le colloque « Médiations » organisé à Rennes le 27 avril 1999 donne une bonne idée de la grande variété des initiatives municipales en faveur du maillage social. De nombreux dispositifs dont les fameux correspondants de nuit y ont été présentés (v. aussi Les métiers de l'intégration sur la voie de la professionnalisation, in *La Gazette des communes,* 7 avril 1997).

Les médiateurs scolaires (à ne pas confondre avec le médiateur de l'Éducation nationale) répondent au double objectif d'apaisement social par la résolution des conflits en milieu scolaire et de réduction de la fracture sociale, ce qui leur confère une mission à mi-chemin entre l'éducation civique et l'assistance sociale, caractéristique de la médiation de maillage social. En application du point n° 124 du « Nouveau contrat pour l'école » de F. Bayrou, alors ministre de l'Éducation nationale, 40 médiateurs éducatifs furent mis à la disposition des chefs d'établissements particulièrement touchés par la violence. Dans le même ordre d'idées, les « grands frères » issus d'emplois-jeunes prévus par un plan du ministère du 5 novembre 1997 contribuent à pacifier les collèges.

C) *L'utilisation particulière de la médiation en matière d'environnement.* — La volonté affichée par le législateur depuis la loi du 6 février 1992 de développer la participation des administrés aux choix publics pourrait donner ici, à l'instar des pratiques québécoises, un rôle original à la médiation (v. Droniou, *La médiation, une nouvelle forme de participation du public aux décisions d'aménagement,* thèse, Dijon, 1999). L'utilisation d'une méthode prudente de médiation pour le choix des deux sites en vue de l'implantation de laboratoires souterrains de recherches sur le traitement des déchets nucléaires est exemplaire. Le choix d'un site nucléaire est délicat en raison de la multiplicité des interlocuteurs et de la complexité au sens juridique (pas seulement difficulté) des opérations.

Le recours en 1994, à un médiateur, M. Christian Bataille, député socialiste du Nord, fait suite à l'échec d'un choix sans concertation en 1987, contesté par les populations concernées puis abandonné en 1990. La méthode utilisée combine la concertation et l'information. L'hésitation terminologique qui a entouré son action ne doit pas masquer la réalité de la médiation effectuée par M. Bataille. Même si on lui a donné tour à tour le titre de chargé de mission ou de médiateur, même si on lui a prêté à tort un pouvoir de choix, en se définissant lui-même « trait d'union entre l'opinion et le pouvoir exécutif », il s'assigne incontestablement une mission de médiation ? Pour l'avenir, au-delà du choix des sites, le « médiateur » souhaite la mise en œuvre d'une structure permanente d'écoute extérieure au pouvoir.

V. — La médiation dans le domaine des difficultés contractuelles

La référence au contrat dont l'exécution pose problème permet de regrouper ici des situations apparemment disparates, comme le contentieux de la consommation, du surendettement, des assurances mais aussi du contentieux mutualiste. L'échec de l'expérience étatique « BP 5000 » paralysée par l'hostilité des unions de consommateurs préférant l'affrontement sans intermédiaires avec les producteurs montre les limites des simples techniques d'interposition dans le domaine de la consommation en général. Des éléments de solution ont été recherchés dans diverses directions. Certains se rattachent à la conciliation et seront vus au chapitre IV (en matière de baux et de surendettement). Par un phénomène de mode l'utilisation du terme « médiation » progresse ici aussi. Il se généralise dans le secteur des assurances, et s'annonce dans d'autres secteurs.

L'idée d'un « médiateur » fait son chemin dans les milieux bancaires pour améliorer les relations entre les banquiers et leurs clients. Le président du comité consultatif des banques, M. Maurice Gousseau, s'est déclaré favorable à son intervention une fois que toutes les procédures internes ont été épuisées. L'Association française des banques participe au débat sur le statut du futur « médiateur ». Les discussions concernent sa saisine et son extranéité par rapport à la profession. Devra-t-il détenir des pouvoirs de décision comme le Banking ombudsman britannique, ainsi que des pouvoirs d'investigation comparables ? En effet le banking ombudsman peut exiger que les banques lui communiquent tous documents confidentiels, et peut enquêter ou même interroger pour établir les faits dont la connaissance lui nécessaire à la solution.

1. **Généralités sur la « médiation » dans le domaine des assurances.** — La création d'une fonction « médiation » dans le domaine des assurances résulte de l'incitation des pouvoirs publics. Les assureurs pour tenir compte des recommandations de la Commission consultative de l'assurance ont installé dès 1990 des formules variables de médiation-conciliation visant améliorer le traitement des

réclamations des assurés et à éviter les procès. La situation évoluant vite et sans rigueur terminologique il est difficile de présenter un tableau clair de la « médiation » dans le domaine des assurances.

A) *Médiation ou conciliation ?* — Les assureurs hésitent. Là encore il faut constater l'utilisation du terme médiation pour couvrir des situations aussi diverses que la « médiation interne » (le système du médiateur « maison ») celui de la médiation externe, celui de la médiation-conciliation.

Ainsi, l'UAP a utilisé de 1990 à 1993 le terme conciliation pour désigner l'activité d'un ancien magistrat, le président Caron qui depuis 1990 examine en liaison avec le service des relations avec la clientèle les dossiers litigieux. Le conciliateur, rémunéré par l'UAP doit rendre son avis dans les deux mois de sa saisine par le client (pour ce dernier la conciliation est gratuite) ou par le service clientèle. Ce service clientèle joue un rôle stratégique, car il vérifie la recevabilité des demandes assure l'instruction des dossiers. La procédure est très juridique ce qui correspond à la mission du conciliateur qui n'examine que des litiges juridiques. Le système était cohérent. Mais un changement terminologique s'est opéré, sans que cela modifie le système si on en croit la direction de la qualité annonçant dans une note du 11 janvier 1994 : « Nous avons conservé notre système de conciliation, en vigueur depuis février 1990, dont les règles ne contredisent pas celles prévues par la charte de la FFSA sur la médiation. Seul le nom change, désormais nos conciliateurs ont pris le nom de médiateurs. »

B) Après une période de dispersion, pendant laquelle les entreprises d'assurances se sont dotées de « *médiateurs* » propres la tendance est au regroupement. Il s'agit d'un regroupement par « famille » et non de l'instauration d'un médiateur unique pour toutes les entreprises d'assurances. Il existe 3 familles dans le domaine des assurances, la Fédération française des sociétés d'assurances (FFSA dont le médiateur est M. P. Baudez), le Groupement des entreprises mutuelles d'assurance (GEMA, dont le médiateur est M. Durry) et le Groupement des assurances mutuelles agricoles (GAMA). En juillet 1993, les 3 familles ont adopté une charte de la médiation, qui leur est commune mais qui respecte un système décentralisé permettant à chaque famille d'avoir son médiateur et sa charte.

2. **Illustration.** — Les relations entre le médiateur de la MAIF et le médiateur du GEMA permettent de comprendre l'articulation entre les 2 systèmes de « médiation ».

Le « médiateur » de la MAIF. — Le conseil d'administration de la Mutuelle d'assurance des instituteurs a créé à compter d'avril 1993, une fonction de médiation « pour offrir à ses assurés en cas de désaccords persistants entre un sociétaire et sa mutuelle un niveau d'écoute de réflexion et de recherche d'une solution équitable » (*MAIF Informations,* n° 89, mars 1993). Il a choisi pour premier titulaire de la fonction, une personnalité qui lui a paru incontestée, M. Paul Marcus directeur de la MAIF depuis 1974, avant d'être désigné président du Fonds de Garantie des assurances dont l'activité concerne l'ensemble des sociétés d'assurances, tant françaises qu'étrangères opérant en France. Ce « médiateur » reçoit mission d'intervenir dans des situations individuelles où le sociétaire, mécontent d'une position prise par la MAIF l'a contestée auprès de ses interlocuteurs normaux — correspondant départemental, responsable de service, directeur ou président qui n'ont pu le convaincre du bien-fondé de leurs raisons.

— Saisine : il ne peut être saisi que si le sociétaire a préalablement sollicité les différents niveaux de décision mis à sa disposition par les structures de la mutuelle. En dehors de cette restriction le sociétaire peut le saisir lui-même. La Direction générale, avisée par les correspondants départementaux ou divers responsables de services peut également le saisir de situations individuelles dignes d'intérêt. Il en sera ainsi quand l'application des règles contractuelles heurte l'éthique mutualiste.

— Statut : le « médiateur » est fortement intégré à la mutuelle, il exerce ses pouvoirs dans le cadre d'une délégation générale du Conseil d'administration, son adresse est celle de la MAIF. Son indépendance est proclamée.

Pouvoirs : il reçoit un pouvoir de décision et de proposition. Ses décisions reposent sur sa seule appréciation, et n'ont de valeur que pour chaque affaire examinée. Il statue en équité. Il peut proposer une décision de remplacement. Il peut aussi lorsque le caractère répétitif d'un type de litige lui fait diagnostiquer une difficulté de portée générale, saisir la Direction de la mutuelle d'une demande de réexamen de la règle contractuelle ou statutaire.

Le médiateur du GEMA : exerce une mission identique à celle des mutuelles composant la famille GEMA. Un professeur de droit, M. G. Durry exerce cette fonction depuis sa création en 1990. Présenté par la « lettre de la MAIF » comme un super-médiateur, il ne peut être saisi qu'après épuisement des voies de recours internes dont l'assuré bénéficie au sein de sa propre compagnie d'assurance et après décision du médiateur de cette dernière. Comme pour le médiateur de la MAIF, sa décision s'imposera à la Mutuelle mais l'assuré conservera toujours sa liberté d'accepter ou de refuser ses propositions.

On retrouve une articulation comparable à la FFSA, mais avec un « médiateur » professionnel. La charte de la « média-tion » de la FFSA prévoit aussi un dispositif à deux niveaux, un au niveau de chaque entreprise d'assurance confié à une person-nalité extérieure, un au niveau de la FFSA. Il s'agit d'un média-teur professionnel désigné à l'unanimité par un Conseil composé du président de l'Institut national de la consommation, du prési-dent de la Commission consultative de l'assurance et du prési-dent de la FFSA. Il opère selon une procédure très juridique et rend un avis motivé dans les 3 mois suivant sa saisine.

VI. — La médiation dans le domaine politique

Il convient de réserver ce terme aux conflits internes, bien que les conflits internationaux soient aussi politi-ques. Il y a parfois des confusions. Ainsi la médiation « internationale » demandée par l'Inkatha et refusée par le président De Klerk (*Le Monde,* 5 mars 1994), est en réalité une médiation dans un conflit interne, qui serait effectuée par un médiateur extra-national. C'est une médiation politique

Une illustration s'impose : la mission de dialogue envoyée en Nouvelle-Calédonie en 1988 sous la coordi-nation de Christian Blanc. Selon J.-F. Six (*op. cit.,* p. 134) elle constitue l'événement qui « plus que tout autre a mis en exergue la méthode de la médiation dans le domaine politique » :

Après les événements sanglants survenus à Ouvéa en avril 1988, le président de la République a nommé un médiateur collectif composé de six personnalités extrê-mement différentes : le pasteur Stewart président de la

Fédération protestante de France, le recteur de l'institut catholique de Paris Mgr Guiberteau, le franc-maçon Roger Leray ancien grand maître du Grand-Orient de France, Pierre Steinmetz, Jean-Claude Perrier et Christian Blanc, le chef de mission désigné par le premier ministre Michel Rocard. Trois d'entre eux ont expliqué lors de colloques organisés par l'Institut de formation à la médiation et le Centre national de la médiation le 6 octobre 1988 et le 11 mars 1989), ce qui dans leur action leur paraissait caractéristique de la médiation. Tout d'abord, un charisme collectif parallèle à une absence de pouvoir : « La mission n'avait ni rôle de juge, ni rôle d'arbitre, ni rôle politique. » Elle n'avait pas de pouvoir, mais a permis à des gens de se rejoindre pour envisager un nouvel avenir qui tînt compte des réalités humaines (J. Stewart). Ensuite l'absence de modèle préétabli, pas de procédure mais un processus qui s'est enclenché en cohérence avec l'objet de la mission. Une conception non réductrice de la mission de médiation « il a toujours été clair qu'il ne s'agissait pas d'une mission de négociation. L'objet de la médiation consistait à écouter, puis à envoyer un rapport sur les chances et les chemins de la paix en Nouvelle-Calédonie » (Mgr Guiberteau). Une grande qualité d'écoute et de contact, 1 200 rencontres individuelles ou en petits groupes. Et enfin une forte dose d'idéalisme : « Notre mission a aussi contribué à mettre en évidence le besoin de s'appuyer sur l'utopie » (J. Stewart). Une utopie qui après le fossé creusé par la violence du printemps 1988 aboutissait à la signature des accords de Matignon.

Chapitre III

LE DÉVELOPPEMENT
DE LA MÉDIATION
DANS LE DOMAINE INTERNATIONAL

Le succès de la médiation opérée discrètement par Johan Holst, ministre norvégien des Affaires étrangères entre Israël et l'OLP pendant l'été 1993, n'a pas suffi a restaurer la réputation de la médiation dans le domaine international. Elle fait même les frais d'une caricature dans *Le Monde* du 17 février qui montre un belligérant pitoyable à qui on propose « une bonne petite médiation inutile ». L'Algérie s'était à un certain moment taillé une réputation de médiateur entre divers pays arabes, ainsi qu'entre ceux-ci et l'Occident. La médiation peut cependant se prévaloir d'une certaine ancienneté.

I. — Le droit international général

Les relations internationales la connaissent de longue date puisque la convention pour le règlement pacifique des conflits internationaux (La Haye, 18 octobre 1907) lui consacre son titre II « des bons offices et de la médiation ». Ces dispositions qui n'ont pas suffi à empêcher la multiplication de graves conflits présentent cependant un grand intérêt théorique. Les puissances contractantes conviennent d'avoir recours aux bons offices ou à la médiation avant d'en appeler aux armes (art. 2).

L'article 3 encourage *l'initiative* de puissances étrangères au conflit, si les circonstances s'y prêtent. Cet article proclame l'existence d'un *droit* d'offrir sa médiation, même pendant les hostilités. Pour éviter toute équivoque l'alinéa 3 précise l' « exercice de ce droit ne peut jamais être considéré par l'une ou l'autre des parties comme un acte peu amical ». Les cinq articles suivants apportent sur le rôle du médiateur des indications intéressantes mais ambiguës en ce qu'elles entremêlent « médiation » et conciliation sans fournir d'éléments distinctifs. En revanche ils fournissent parfois des éclaircissements sur les mécanismes de la médiation. « Le rôle du médiateur consiste à concilier les prétentions opposées et à apaiser les ressentiments qui peuvent s'être produits entre les Etats en conflit. » L'acceptation des moyens de conciliation proposés par le « médiateur » est nécessaire à son maintien. En effet ses fonctions cessent dès le constat, par lui-même ou d'une des parties en litige, de leur rejet. L'article 6 insiste sur le caractère exclusivement consultatif de la « médiation » qu'elle soit demandée par les parties en conflit, ou due à l'initiative du médiateur. Par nature la « médiation » ne peut avoir pour effet d'interrompre ni la préparation à la guerre, ni les opérations en cours, sauf accord contraire.

L'article 8 concerne une forme spéciale de « médiation » qui permet aux Etats en conflit de choisir respectivement une puissance à laquelle ils confient la mission d'entrer en rapport direct avec la puissance choisie par l'autre. Pendant ce mandat qui ne peut excéder trente jours, les Etats en litige cessent tout rapport direct au sujet du conflit « lequel est considéré comme déféré exclusivement aux puissances médiatrices ».

Il pèse sur les médiateurs une obligation de moyen, ils doivent appliquer tous leurs efforts à régler le différend. Même en cas d'échec leur mandat ne prend pas fin, les médiateurs doivent « profiter de toute occasion tenter de rétablir la paix ».

La médiation est la pièce maîtresse du « pacigérat » établi par l'article 15 du pacte de la Société des Nations.

L'ONU lui accorde aussi une place ainsi le Conseil de sécurité peut jouer un rôle de médiateur ou recommander le recours à un autre médiateur. La résolution Archeson du 3 novembre 1950 confie à l'Assemblée ce rôle à l'occasion de la guerre de Corée.

L'actualité récente offre un exemple de réussite particulièrement éclairant de médiation internationale. Il s'agit de la médiation de la Norvège qui permit la signature de l'accord de principe entre les Israéliens et les Palestiniens le 13 septembre 1993. Elle s'est opérée dans des conditions qui illustrent bien la nature de la médiation. Elle s'est produite hors institution, par l'initiative d'une personne dépourvue de pouvoir, dont le nom reste pratiquement ignoré, mais reconnue moralement par les parties en présence. Elle a réussi là où les grandes puissances avaient échoué, par la puissance paradoxale de l'absence de pouvoirs.

Des médiateurs individuels ou collectifs continuent à déployer leur activité. Le général Eyadéma a effectué une mission de médiation de douze heures entre le Nigeria et le Cameroun le 3 mars 1994 pour tenter d'éviter une guerre entre les deux pays et trouver une solution africaine à ce problème africain. Sous l'impulsion du diplomate suédois Ian Eliasson, la Conférence sur la sécurité et la coopération en Europe a repris sa tentative de médiation dans le conflit du Haut-Karabakh qui oppose les Arméniens et les Azerbaïdjanais.

II. — Le droit international régional

1. **Le médiateur de l'Union européenne.** — La médiation à l'intérieur de l'Union européenne s'institutionnalise. Dans une première phase, le Comité des ministres du Conseil de l'Europe avait adopté le 15 mai 1981 une recommandation R-81-7, témoignant de son intérêt pour les techniques de règlement amiable. Le Traité d'union européenne (TUE) signé à Maastricht le 2 février 1992 va plus loin en créant un médiateur européen désigné par le Parlement européen après chaque élection, c'est-à-dire pour une durée de cinq ans. Son mandat est renouvelable. Il aura pour mission d'intervenir dans les conflits entre l'administration communautaire et les usagers. Installé à Strasbourg le médiateur européen (actuellement M. Söderman, finlandais élu en juillet 1995) entouré d'une équipe de 13 personnes dont 7 juristes de nationalités différentes, reçoit près de 1 000 plaintes par an dont moins de 200 s'avèrent recevables. Il publie un volumineux rapport annuel.

2. **Outre qu'une médiature institutionnalisée,** quels que soient ses mérites, n'épuise jamais le besoin de médiation éprouvé dans sa sphère, il y a encore un large champ libre pour la médiation communautaire, dans les secteurs ne relevant pas du médiateur officiel. L'intensification de la construction européenne va insérer dans un même ensemble juridique des groupes sociaux aux traditions différentes, que l'histoire aura parfois opposés violemment. Plus prosaïquement, il faudra aligner progressivement des traditions juridiques hétérogènes. Il faudra de nombreuses médiations culturelles pour permettre aux européens de s'entendre au sens premier de ce terme. Les médiateurs devront avoir l'intuition des besoins de communications et prendre des initiatives pour contribuer à la création de l'Europe. La médiation en entreprise, en particulier devra prendre la dimension de l'Europe. Dans ce secteur, les médiateurs seront des interprètes au sens total du terme, accompagnant la traduction des mots et des montages juridiques par leur éclairage social.

Chapitre IV

LA MÉDIATION
ET LES MODES DE RÈGLEMENT
NON JURIDICTIONNELS DES LITIGES

Le développement des modes non juridictionnels intéresse aussi bien le secteur privé que le secteur public.
L'Etat s'en fait le promoteur quasi exclusif. Il s'agit
d'une tendance perceptible dans de nombreuses sociétés
occidentales. En France, la création du médiateur de la
République en 1973 constitue un premier temps fort
dans la diffusion de tels procédés. Il existe des interfé-
rences entre la constellation des modes non contentieux
de règlement des litiges, et la médiation. On ne peut pas
couper le phénomène de la médiation de la culture
sociale qui l'accompagne.

Deux cas se présentent dans les rapports entre la
médiation et les modes de règlement non juridictionnels
des différends :

Les configurations nettes. — Dans ces cas, il n'existe
pas d'équivoque. Les techniques classiques de règlement non juridictionnelles (la conciliation, la transaction, l'arbitrage, l'amiable composition) sont présentées
comme tels et non comme de la médiation. Dès lors
pourquoi en parler ? Parce que les modes de règlement
non juridictionnels de règlement des conflits, forment le
contexte culturel d'une certaine conception de la
médiation, sa référence culturelle, son environnement
naturel. Et on peut penser que si la transaction, le
règlement amiable, la conciliation n'avaient pas préparé
le terrain la médiation n'aurait pu recueillir une si

large adhésion, même si cela entraîne des nuisances ter-
minologiques.

La nébuleuse médiation-conciliation. — Ce terme de
nébuleuse traduit l'embarras de qui veut faire un
tableau de la médiation. Dans un certain nombre de
travaux, la médiation se voit associée à la conciliation.
L'impression d'équivalence, naît de l'emploi indifférencié des termes parfois dans la même phrase, parfois
du trait d'union inexpliqué. L'étude adoptée par
l'assemblée du Conseil d'Etat le 4 février 1993 :
« Régler autrement les conflits » (*La Documentation
française,* 1993) cumule tous ces signes, elle ajoute
même des guillemets embarrassés pour encadrer le
couple « médiation conciliation » qui fait l'objet de son
titre I.

On peut tenter une clarification en présentant
d'abord la conciliation dans les relations entre particuliers (I), puis les modes alternatifs de règlement des
litiges dans le secteur public (II) et la « médiation »
institutionnalisée dans la mouvance de ces nouveaux modes, formant alors la nébuleuse conciliation-
médiation (III).

I. — La conciliation entre les particuliers

Si les pouvoirs publics ont pris en route le train de
la médiation, en revanche la conciliation est d'origine
institutionnelle. En droit privé les modes de règlement
non juridictionnels sont majoritairement dans la sphère
de la justice judiciaire. Les modes non juridictionnels de
règlement des conflits font partie de l'arsenal étatique,
l'Etat les orchestre plus ou moins étroitement.

1. La conciliation à l'incitation des pouvoirs publics.

A) *La conciliation générale, les conciliateurs de justice.*
— Sous leur forme contemporaine, ce sont des auxiliaires de justice, nés de la volonté de désengorger la justice

judiciaire. Ils se rattachent aussi à une tradition dont il convient de dessiner les méandres :

1 / Leurs origines :

a) Dans leur *Traité théorique et pratique d'organisation judiciaire de compétence et de procédure civile* (3ᵉ éd., 1926, t. 2, nº 466, p. 406), Glasson et Tissier font état d'une tradition ancienne décrite par Voltaire dans une lettre de 1745. Voltaire y décrit une institution en vigueur dans les Flandres françaises particulièrement à Lille et Valenciennes, inspirée de l'exemple hollandais. Ils mentionnent aussi la loi des 16-24 août 1790 qui soumettait toutes les affaires de la compétence du tribunal de district, y compris les affaires urgentes et insusceptibles de transaction, à un préliminaire obligatoire de conciliation. Elle évinçait de l'audience les hommes de loi. La nullité d'ordre public qui sanctionnait l'omission de la conciliation ainsi que l'amende de 30 livres encourue par celui qui ne comparaissait pas devant le bureau de paix et de conciliation montrent l'importance de la conciliation dans l'esprit de l'assemblée constituante (*op. cit.,* t. 1, nº 15, p. 44). Les conditions d'éligibilité des juges de paix en font déjà des notables, ils sont élus pour deux ans et rééligibles, par les assemblées primaires des citoyens actifs, parmi ces mêmes citoyens (donc payant une contribution directe) et doivent avoir au moins trente ans. Il y en aura 3 000 soit environ un par canton, et plusieurs dans les grandes villes. L'appréciation qu'Esmein porte sur eux un siècle plus tard (*Précis élémentaire de l'histoire du droit français de 1789 à 1814,* 1911, p. 42) n'est guère flatteuse, elle explique après coup la circulaire du ministre de la Justice du 29 brumaire an V désapprouvant la pression exercée par certains sur les parties pour les concilier à tout prix, et le discrédit qui devait conduire la plupart des tribunaux d'appel à en demander la suppression lors de la discussion du Code de procédure civile.

En dépit de cette expérience décevante, les codes napoléoniens imposaient avant tout procès civil un préliminaire obligatoire la conciliation des plaideurs par le juge de paix. Le caractère obligatoire de la conciliation aboutit au même échec, les plaideurs durent recourir à des stratégies d'évitement que les juges finirent par entériner. La loi du 9 février 1949 remplaça l'obligation par une faculté ouverte au juge. En dépit de cette mesure de sagesse, l'institution ne survécut qu'inégalement à plein temps dans les meilleurs cas, souvent itinérante faute d'une demande suffisante. La réforme de 1958 les supprima.

Pourtant, la figure du juge de paix, avec celle du curé et de l'instituteur ou du médecin de campagne, sortes de sages et de pacificateurs traditionnels, reste présente dans l'idée que se font nos contemporains des modes alternatifs. Il y a plus qu'un symbole dans la possibilité accordée par l'arrêté du 11 mai 1981 par lequel le garde des Sceaux autorise les conciliateurs à porter en insigne dans l'exercice de ses fonctions, une médaille reproduisant l'œuvre de Roquelay créateur de la médaille du juge de paix en 1791 avec la mention « conciliateur 1791-1978 ».

b) La substitution du juge d'instance au juge de paix en 1958 n'entraîna pas pour autant la disparition de la conciliation, mais celle-ci n'est plus l'apanage d'un juge spécialisé. L'article 21 du nouveau Code de procédure civile incorpore la conciliation dans la mission de toutes les juridictions auxquelles il s'applique. L'article 768 le précise pour le tribunal de grande instance dans les termes suivants : « Au tribunal de grande instance, le juge des mises en état peut constater la conciliation, même partielle des parties. » Pour le tribunal d'instance, c'est l'article 840 qui précise « le juge s'efforce de concilier les parties ».

Les articles L. 511.I et R. 516.3) du Code du travail en faisant de la conciliation la mission première du Conseil de prud'hommes et l'article 863 du Code du commerce témoignent eux aussi de la fidélité du législateur à la conciliation.

c) L'idée du juge de paix revint. L'institution du juge d'instance ne comblant pas le vide provoqué par la suppression du juge de paix.

En matière civile, pour des raisons variables (désengorgement des juridictions ou « déjudiciarisation, rapprochement, simplification, rapidité), les gardes des Sceaux successifs, à l'exception de R. Badinter, ont tenté de réactiver l'équivalent du juge de paix. En 1976, O. Guichard alors garde des Sceaux donne le coup d'envoi décisif avec l'idée des « conciliateurs de justice ». Son successeur

A. Peyrefitte décida de l'expérimenter dans 4 départements (Alpes-Maritimes, Gironde, Haute-Marne et Loire-Atlantique) et de la consacrer par le décret n° 78-381 du 20 mars 1978 (modifié par le décret n° 81-583 du 18 mai 1981 et le décret n° 93-254 du 25 février 1993) et complété par une circulaire du 26 avril 1978.

2 / Les conciliateurs depuis 1978 : l'institution des conciliateurs connaît une existence aléatoire au gré des gouvernements. La défiance non dissimulée de R. Badinter prit la forme d'une longue réflexion sur leur utilité. Pendant les cinq années que dura la réflexion le nombre des conciliateurs passa de plus de 1 000 à 400 en 1986. L'alternance permit à un nouveau garde des Sceaux, A. Chalandon de relancer le recrutement des conciliateurs. Cette fluctuation liée aux aléas politiques affaiblit l'institution, car elle semble l'associer à un courant politique. Les effectifs des conciliateurs ont fluctué de 1 200 en 1982, ils passèrent à 400 en 1986, le garde des Sceaux avait en 1987 pour objectif de pourvoir chaque canton d'un conciliateur environ soit 3 800, ils étaient 1 400 en 1992. (Est-ce pour exorciser ces mauvais souvenirs que les nouveaux auxiliaires de justice s'accrochent l'appellation de médiateur tout en se plaçant dans la même situation que les conciliateurs traditionnels ?)

Les conciliateurs sont diversement. La présentation de l'institution donnera des bases juridiques d'appréciation, et préparera à la détection de nombreuses ressemblances fonctionnelles avec ce que l'on présente depuis quelque temps, probablement à tort, comme de la médiation (voir *infra*, III).

Le bénévolat et un recrutement contrôlé par les autorités judiciaire constituent les principaux éléments du statut de conciliateur. Les conciliateurs sont nommés par voie d'ordonnance par le premier président de la cour d'appel, sur proposition du procureur général près cette cour après sélection des candidatures remplissant les conditions de recrutement fixées par le décret n° 78-381 du 20 mars 1978, modifié par le décret 81-583 du 18 mai 1981 et précisées par la circulaire du 27 février 1987. La première nomination intervient pour une période d'un an et pourra être renouvelée pour une période de deux ans. Le conciliateur doit prêter serment devant la cour d'appel, le maire de la commune où il tiendra ses assises, ainsi que le juge d'instance et le procureur de la République territorialement compétents sont informés de sa nomination qui reçoit par ailleurs une publicité sous forme d'un tableau contenant la liste nominative des conciliateurs.

Le conciliateur, bénévole selon le principe posé par l'article 1, al. 2, est défrayé de ses frais de déplacement sous forme d'indemnité kilométrique dans la limite de 1 000 F par an. Il doit souscrire une assurance responsabilité civile couvrant les déplacements effectués dans le cadre de sa fonction.

L'article 8 du décret de 1978 lui impose le secret professionnel et une obligation de réserve.

Le décret de 1978 prévoit une gamme de sanctions comme l'avertissement, le non-renouvellement, ou la cessation immédiate pour des faits précisés par la circulaire de 1987. Les sanctions sont prononcées par les chefs de cour après avis du procureur général et audition de l'intéressé.

Selon la circulaire du 9 novembre 1987, le conciliateur doit tenir ses assises dans un bâtiment public de préférence à la mairie ou dans un autre lieu communal, le cas échéant dans les locaux judiciaires.

Mission : l'ordonnance qui le nomme lui attribue une circonscription (art. 4 du décret de 1978), mais pour garder à l'institution sa nécessaire souplesse, elle ne lui fixe pas une compétence territoriale rigide.

L'absence de formalisme de sa saisine et l'absence de pouvoir de contrainte correspondent à sa mission qui est non de trancher mais « de faciliter en dehors de toute procédure judiciaire, le règlement amiable des différends, portant sur des droits dont les intéressés ont la disposition » (art. 1 du d. 20 mars 1978). En cas de réussite, même partielle il peut être établi un constat d'accord signé par les intéressés et déposé par le conciliateur à l'expiration de ses fonctions au secrétariat greffe du tribunal d'instance dans le ressort duquel se trouve sa circonscription.

En réponse à une question de M. J.-L. Masson sur la possibilité de doter les conciliateurs d'un statut d'auxiliaire de justice, le garde des Sceaux, ministre de la Justice répondait « les conciliateurs sont d'ores et déjà des auxiliaires de justice » (*JO*, 5 septembre 1988).

B) *La conciliation judiciaire dans les conflits du travail.* — Il existe une grande variété des conflits du travail qui ne relèvent pas tous du même type de solution. En raison de l'importance des conflits non justiciables, le droit français du travail fait une large place à la conciliation. En effet ce type de conflit n'oppose pas des prétentions juridiques contradictoires, il ne concerne pas l'application du droit, mais sa modification (hausse des salaires par exemple). Le conflit collectif se définit sommairement comme celui portant sur les droits ou intérêts communs à un groupe de salariés. Dans les conflits justiciables, le différend porte sur l'application ou l'interprétation du droit existant.

a) La conciliation dans conflits individuels. — Sommairement ce sont les conflits qui opposent un employeur à un salarié.

Diverses dispositions du Code du travail font une place privilégiée à la conciliation :

— la conciliation est obligatoire pour les conflits individuels, puisque l'article L. 521-1 l'intègre dans la procédure prud'hommale. Elle est donc plus qu'une conciliation préjudiciaire ;
— la création d'une juridiction, le Conseil de prud'hommes dont la mission essentielle est de régler par la voie de la conciliation les différends individuels témoigne de l'intérêt pour la conciliation.

La place faite à la conciliation se manifeste jusque dans l'organisation des Conseils de prud'hommes. Chaque Conseil comporte 5 sections et chaque section comprend un bureau de conciliation composé de deux membres, un employeur, un salarié qui se partagent la présidence à tour de rôle (art. L. 515-1 et R. 515-1). Le bureau tient séance au moins une fois par semaine et sans public. Il détient des pouvoirs d'urgence révélant sa nature juridictionnelle détentrice de l'autorité : il peut délivrer des certificats de travail, des bulletins de paie, ordonner des mesures d'instruction, prononcer des astreintes, les liquider provisoirement, ordonner le versement de provisions sur les salaires qui lui paraîtraient incontestablement dues, ainsi que sur leurs accessoires comme les congés payés, les indemnités de préavis et de licenciement. Pour ces décisions juridictionnelles il statue publiquement.

Le Conseil de prud'hommes ne juge que si la conciliation échoue, rendant ainsi le jugement subsidiaire.

La possibilité d'une conciliation tout au long des autres étapes achève de la privilégier par rapport au jugement. Elle repose tant sur l'article 21 Nouveau Code de procédure civile qu'il n'y a pas lieu d'exclure en droit du travail, que sur l'article 127 du même Code permettant aux parties de se concilier elles-mêmes ou à l'initiative du juge. Le bureau de jugement du Conseil de prud'hommes pourra donc soit inciter les parties à un accord soit consigner celui-ci dans un procès-verbal doté de force exécutoire.

b) Bien que facultative pour les conflits collectifs la conciliation bénéficie de la faveur du droit étatique depuis 1892. La loi de 1892 instituait une procédure de conciliation diligentée par le juge de paix. La loi n° 82-957 du 13 novembre 1982 rend la conciliation facultative pour le règlement des conflits collectifs (art. L. 523-1) qu'il s'agisse de la conciliation conventionnelle ou réglementaire mais en prévoit la possibilité en termes très généraux : « Tous les conflits collectifs du travail peuvent être soumis aux procédures de conciliation. » L'article 523-2 instaure des commissions nationales ou régionales ou départementales de conciliation comprenant paritairement des représentants des organisations les plus représentatives des employeurs et des salariés ainsi que des représentants des pouvoirs publics dans la limite du tiers des membres de la commission.

Une fois le recours à la conciliation décidée les parties doivent en faciliter la réussite (art. L. 523-3), elles doivent comparaître devant les commissions de conciliation (art. 523-4). A l'issue des réunions les parties reçoivent un procès-verbal établi par le président de la commission constate leur accord ou leur désaccord total ou partiel (art. 523-5).

A côté de la procédure légale, le Code du travail encourage les conventions collectives à prévoir des procédures spécifiques de conciliation. La conciliation peut aussi résulter d'un accord collectif pris au niveau de la branche ou de l'entreprise.

On ne peut isoler l'engouement du droit français pour la conciliation d'une tendance transnationale perceptible aussi bien en Europe occidentale (A. Jacobs, *Conciliation, médiation, arbitrage dans les conflits du travail en Europe occidentale*, Institut de Dublin, 1993) qu'en Amérique du Nord et latine. La Fédération suisse comme les cantons l'organisent soit à titre facultatif soit à titre obligatoire, devant les juridictions de droit commun ou l'office fédéral de conciliation. La loi allemande sur la juridiction du travail organise une première étape de conciliation devant le président de celle-ci. La tentative de conciliation est obligatoire devant le service consultatif de conciliation et d'arbitrage au Royaume-Uni. La loi espagnole de 1990 introduit une procédure au nom expressif d'évitement du procès, tentative de conciliation devant un organe institué par un accord collectif ou à défaut par un organisme administratif. Depuis un accord signé à Madrid le 26 janvier 1996 entre les principales confédérations d'employeurs et de salariés, devenu l'accord tripartite du 18 juillet 1996 par la signature du ministre du Travail, la médiation trouve sa place à côté de la conciliation et de l'arbitrage. L'existence de la Juntas de conciliacion y arbitraje au Mexique et de la Juntas de conciliaçao e julgamento au Brésil témoigne de sa présence en Amérique latine. Le règlement négocié des conflits du travail a aussi la faveur des institutions internationales, la charte sociale européenne et les conventions de l'Organisation internationale du travail (OIT) la préconisent. L'article 8 de la Convention 151, et la Convention 154 adoptées par la Conférence internationale du travail respectivement le 27 juin 1978 et le 3 juin 1981 attribuent à la conciliation une vocation générale, la préconisant pour tous les secteurs de l'activité économique y compris la fonction publique. La France ne les a pas ratifiées en raison de l'avis défavorable du Conseil d'Etat. Cependant, la politique du Renouveau du Service public donne un regain à la conciliation dans le secteur public.

En conclusion, la conciliation apparaît comme une pièce maîtresse du dispositif étatique de règlement des conflits du travail.

C) *Les conciliateurs spécialisés.*

a) *Dans le domaine des entreprises en difficultés :*

— les entreprises industrielles et commerciales : la loi n° 84-148 du 1er mars 1984 permet au président du tribunal de commerce, quand il voit apparaître les premières difficultés d'une entreprise, de désigner un conciliateur pour trouver un accord amiable entre les créanciers sur certains aménagements de la dette ;

— les entreprises agricoles : la loi n° 88-1202 du 30 décembre 1988 prévoit la même possibilité à propos des entreprises agricoles, et en confie la mise en œuvre au président du tribunal de grande instance.

En cas d'échec la procédure de redressement ou de liquidation judiciaires réglera classiquement le sort de l'entreprise commerciale ou agricole.

b) Les commissions de conciliation :

— *les commissions départementales de conciliation en matière de baux :* elles remplacent les commissions départementales des rapports locatifs créés par la loi 82-526 du 22 juin 1982 dite « loi Quillot », initialement remplacées par des commissions similaires issues de la « loi Méhaignerie » n° 86-1290 du 23 décembre 1986. Sous leur forme actuelle, elles résultent de la loi n° 89-462 du 6 juillet 1989 et doivent tenter de concilier les parties à un contrat de location ;

— *les commissions départementales d'examen des situations des personnes endettées :* la loi 89-1010 du 31 décembre 1989, institue des commissions départementales chargées d'examiner la situation de surendettement des particuliers. Saisies par le débiteur, ou un créancier ou par le juge de l'exécution (selon la loi n° 91-650 du 9 juillet 1991), elles dressent l'état d'endettement du débiteur de bonne foi et tente d'élaborer un plan conventionnel de remboursement par la voie de la conciliation.

2. **La conciliation spontanée dans le domaine pénal.** — A côté de la conciliation programmée à grande échelle par des textes étatiques, une autre forme de conciliation est apparue. Elle est spontanée en ce sens que si en les sollicitant bien, elle réussit à se rattacher à des textes, c'est en les débordant largement et non sur leur déclenchement exprès qu'elle intervient. Théoriquement inenvisageable,

à première vue, elle se pratique pourtant comme le résume bien le n° 8 précité de décembre 1986 du *Bulletin du CLCJ* (Comité de liaison des associations socio-éducatives de contrôle judiciaire) qui rassemble les témoignages de magistrats qui la pratiquent ou la favorisent. Une distinction se perçoit dans les expériences présentées.

a) La conciliation pénale par le juge lui-même : la conciliation entre-t-elle dans la mission du juge pénal, et plus particulièrement du juge d'instruction ? Ainsi posée la question a semblé artificielle, à certains juges affrontés à des situations auxquelles ils répondent de manière empirique selon la conception qu'ils se font de leur mission. Dans les expériences présentées on distingue deux types de situations en fonction du degré d'activité du juge.

— Il peut arriver que les parties amorcent spontanément une conciliation dans le cabinet du juge d'instruction, le juge doit-il l'ignorer voire l'empêcher ou en tenir compte ? Le juge peut en être dérouté, les parties n'ont pas le comportement attendu, souvent elles ne se connaissaient pas avant l'infraction. L'auteur de l'infraction découvre un visage, une réalité, et mesure mieux qu'il a lésé un individu concret, et non plus une victime désignée par le hasard. La victime découvre un agresseur parfois banal ou pitoyable. La confrontation devient une rencontre. Que doit faire le juge ?

Mme Nicole Lherault (à l'époque premier juge d'instruction à Paris) dans le n° 8 précité du *Bulletin du CLCJ,* décrit ce type d'expérience : « Le scénario classique ne s'adapte plus à la situation, et alors le juge ne peut plus jouer "le juge". » Il en est comme désemparé. Il lui est interdit de revenir au « jeu de rôles » de la scène judiciaire habituelle. La seule attitude convenable pour lui est l'effacement : les parties jouent vrai, et lui a perdu sa magie.

« Cela ne veut pas dire que la conciliation exclue le rôle du juge, mais c'est un autre rôle, celui de l'écouteur qui peut apaiser, qui doit renseigner chacun sur ses droits, qui doit imposer un rappel au réel, au possible » (p. 24).

Le possible ce pourra être un « désintéressement-réparation » dont le juge guide l'encadrement en contribuant à la rédaction d'un accord.

— Le juge face à une situation complexe prend l'initiative de la conciliation. C'est le cas quand l'inculpé et la victime se connaissaient, l'infraction n'est qu'un épisode.

On trouve sous cette rubrique des situations hétérogènes comme les plaintes entrecroisées des divorçants qui complètent le duel judiciaire civil par une guerre pénale, ou les plaintes réciproques pour escroquerie, violence, abus de confiance, vol, harcèlement sexuel qui accompagnent le contentieux non répressif entre employeur et salarié. L'écoute des antagonistes apprend que l'infraction n'est qu'un élément d'un conflit global, souvent ancien, parfois plus violent que l'infraction et que la sanction de celle-ci, si on l'isole de cet ensemble complexe, est partiellement inique. Le juge peut donc avoir à cœur de régler le conflit globalement, dans sa complexité. Il n'en a pas souvent le temps, il n'a pas toujours la formation psychologique pour le faire, en a-t-il cependant la mission ? Certains juges le pensent pour les raisons suivantes : la tentative de conciliation par le juge lui permet de mieux comprendre les faits et contribue ainsi à l'établissement des faits qui entre dans sa mission. En cas d'échec de la conciliation, de maintien de la plainte, il transmettra à la juridiction de jugement un dossier plus riche éclairant mieux la personnalité de l'accusé. La conciliation peut passer pour une des modalités de son action.

b) La conciliation par un auxiliaire de justice, le conciliateur : dans le *bulletin du CLCJ* précité, M. Georges Apap alors procureur de la République à Valence présente les raisons et les grandes lignes des premières expériences quasi contemporaines et spontanées des magistrats du parquet qui furent à l'origine de la conciliation pénale (p. 29) (v. aussi G. Apap, La conciliation pénale à Valence, *Revue sc. crim.,* 1990, p. 633 et s.) :

L'expérience tentée à Valence dans le quartier de Fontbarlettes (12 000 habitants) et dans le quartier du Plan (6 000), repose sur une certaine conception de la mission du juge pénal en cas de petite délinquance : la recherche de la paix sociale prime la distribution des torts. Elle passe par le rétablissement de la confiance dans les rapports sociaux dans les quartiers choisis pour l'essai de la conciliation pénale. « La solution retenue a été celle de faire régler les litiges nés dans le quartier par les habitants du quartier eux-mêmes, et plus précisément par une équipe de conciliateurs nommés par l'autorité judiciaire, choisis par elle et recevant d'elle les dossiers qu'elle aura à traiter » (G. Apap, *op. cit.,* p. 29). Le profil des conciliateurs choisis pour cette expérience diffère nettement de celui des conciliateurs du décret de 1978. Ils ne doivent être ni des notables, ni âgés, ni décorés. L'instance de conciliation doit refléter la variété en âge, en statut social, en origine géographique du quartier. Le lien entre les conciliateurs et le quartier provient soit de leur résidence soit de leur activité professionnelle ou sociale. Les 10 conciliateurs étaient des bénévoles, tenant leurs assises les samedis dans des locaux mis à leur disposition par la municipalité. Ils fonctionnaient en liaison avec l'autorité judiciaire, à commencer pour leur saisine. Les conciliateurs recevaient les dossiers de la présidente du tribunal de grande instance, après sélection par le parquet. Ils n'étaient saisis que de faits établis, indiscutés ou prouvés. Les dossiers sélectionnés concernaient pour un premier groupe, les petits vols, les actes de vandalisme, d'une manière générale des infractions mineures susceptibles d'une réparation matérielle, pour un deuxième groupe les querelles de voisinage (rixes, injures, brimades) susceptibles de réparations symboliques comme une poignée de mains, des excuses, engagement à une conduite de bon voisinage. Les étapes de la conciliation se succédaient uniformément en commençant par une convocation des parties. Lors de la rencontre le conciliateur devait les informer sur la nature de sa mission, son caractère facultatif, sa portée sur l'action pénale, en effet le parquet s'engageait à ne donner aucune suite pénale à l'affaire en cas de conciliation. Si les parties acceptaient de tenter l'expérience, le conciliateur s'efforçait de favoriser entre elles un dialogue et l'émergence d'une solution acceptable pour les deux. Une fois l'accord obtenu, il devait en consolider le sérieux par la rédaction d'un engagement réciproque.

M. G. Apap insiste sur l'esprit pacificateur de l'expérience de conciliation pénale : « Contrairement à l'idée communément répandue dès qu'on parle de conciliation, l'intention de désencombrer des juridictions surchargées n'a jamais habité l'esprit des deux magistrats qui ont imaginé ces structures » (de conciliation) (p. 31).

Pour M. Pierre Maligne, alors substitut général près la cour d'appel de Paris, l'ensemble des expériences de conciliation présentées dans le numéro spécial précité, permet au juge d'atteindre les finalités de sa mission, et même mieux que les procédés classiques qui malgré les apparences n'apportent pas de solution définitive aux situations conflictuelles à cause de son caractère tardif, brutal, indifférencié. Il proposait le développement de la conciliation sur la base de l'article 12 du Code de procédure civile, trop ignoré, ainsi que l'organisation de stages formant les magistrats à la conciliation.

Il est important de conserver à l'esprit les expériences qui viennent d'être présentées pour les comparer à celles qui le seront par la suite sous la rubrique « médiation » pénale. On ne peut éviter de penser qu'il s'agit d'un simple changement d'appellation.

II. — Les modes non juridictionnels de règlement des conflits en droit public

Souvent anciens, mais jusqu'alors toujours subsidiaires par rapport aux modes juridictionnels, ils bénéficient de l'intérêt nouveau pour les modes alternatifs en général. L'étude demandée par Mme E. Cresson, alors premier ministre par une lettre du 10 juillet 1991, et, adoptée par l'assemblée générale du Conseil d'Etat le 4 février 1993 les rattache à des préoccupations de prévention du contentieux, à une volonté de gain de temps et un souci d'équité. Il s'agit essentiellement de la conciliation, la transaction, et l'arbitrage et du règlement amiable.

1. La conciliation en droit public.

A) *Généralités.* — Il existe un droit commun de la conciliation, largement inspiré du droit privé. Le droit public l'a toujours utilisé d'une manière informelle, on assiste depuis quelques années à une tentative d'officialisation de cette technique. La transposition pure et simple du droit civil ne pose en général pas de problème dans ce domaine, mais lorsque la conciliation aboutit à un accord engageant une personne publique, il faut respecter les règles du droit administratif relatives à la transaction. Les termes de la loi n° 86-14 du 6 janvier 1986 (art. L. 3, al. 2 du Code des tribunaux administratifs et des cours administratives d'appel) sont suffisamment généraux pour conférer au juge administratif une mission de conciliation, que l'arrêt Veriter (CE Assemblée, 23 juin 1989) a implicitement estimée applicable sans texte plus précis. Depuis la situation n'a pas évolué, les décrets prévus par la loi n° 87-1127 du 31 décembre 1987 font défaut. On présente parfois le décret n° 91-204 du 25 février 1991 parmi les textes d'application de la loi de 1987 *(infra B)*.

B) *Exemples*. — La conciliation est une technique éprouvée dans certains secteurs de l'activité administrative. Dans ce procédé (tantôt facultatif mais parfois obligatoire comme celui qui résulte de la loi du 17 avril 1906) de règlement non contentieux des litiges, les parties font appel à un conciliateur qui propose une solution qu'elles sont libres d'accepter ou non. De nombreux cahiers des charges types prévoient le recours à une commission paritaire en cas de difficulté pour réviser les tarifs dans le cadre d'un contrat de concession.

Le Code des marchés publics (art. 239 à 247) institue dans chaque ministère un Comité consultatif de règlement amiable chargé d'opérer une conciliation en cas de litige entre l'administration et ses contractants. La loi du 31 décembre 1959 sur les rapports entre l'Etat et les établissements d'enseignement privé impose aux signataires le passage devant les Comités de conciliation institués dans chaque département avant tout recours contentieux en cas de litiges concernant la passation ou l'exécution des contrats d'établissement (Georgel, *J.-cl. adm.*, 232).

Dans son titre V « Règlement des litiges » (décret n° 81-272 du 18 mars 1981), le Code des marchés publics fait intervenir une grande variété de comités consultatifs de règlement amiable (art. 239 à 247). Le décret n° 91-204 du 25 février 1991 institue auprès du premier ministre un Comité consultatif national de règlement amiable des différends ou litiges relatifs aux marchés passés par les services centraux de l'Etat et, sous certaines réserves de ses établissements publics autres que ceux qui ont le caractère d'établissements à caractère industriel et commercial (art. 239.I CMP ; art. 240 pour sa composition). L'arrêté du 13 février 1992 organise des comités consultatifs régionaux ou interrégionaux de règlement amiable des différends ou des litiges relatifs aux marchés passés par les services extérieurs de l'Etat (art. 239.II). L'article 239.III CMP leur assigne « pour mission de rechercher les éléments de droit ou de fait pouvant être équitablement adoptés en vue d'une solution amiable ».

Le comité peut être saisi soit par le ministre ou le représentant légal de l'établissement public, soit par le titulaire du marché, ce qui suspend le délai de recours contentieux, interrompt le cours des différentes prescriptions et déchéances. Le reste de l'article 242 fixe une procédure quasi juridictionnelle. L'avis du Comité national ne lie pas les parties mais possède une autorité morale très forte en raison de la composition de son auteur.

— Le décret du 20 février 1959 relatif au contentieux des pensions militaires d'invalidité accorde au président de la juridiction des pensions la faculté de concilier en son cabinet (soit à son initiative, soit à celle du demandeur d'une pension militaire d'invalidité) l'administration dont la proposition est contestée et le demandeur.

— Le Code de l'urbanisme (art. L. 121-9 issu de l'art. 39 de la loi n° 83-8 du 7 janvier 1983 et R. 121-2 à R. 121-12 du Code de l'urbanisme — décret n° 83-810 du 9 septembre 1983) crée dans chaque département une commission de conciliation, présidée par un élu local, qui formule « des propositions alternatives publiques » en cas de difficultés liées à l'élaboration des documents d'urbanisme opposables aux tiers (schémas directeurs, secteurs, plan d'occupation des sols et autres). Elle peut être saisie par les personnes publiques associées qui ont émis un avis défavorable au projet de document d'urbanisme.

Le Code de l'urbanisme emploie expressément le terme de conciliation à la différence de la plupart des textes mentionnés ci-dessus qui utilisent l'expression accord amiable.

Les conciliateurs médicaux. — Institués par le décret n° 81-582 du 15 mai 1981, ils avaient pour mission, *en dehors de toute instance juridictionnelle,* de favoriser l'information du patient et de faciliter le règlement amiable des différends relatifs à la responsabilité du médecin à l'occasion ou à la suite de prestation de soins. Ils devaient exercer leurs fonctions à titre bénévole, être désignés par arrêté pour une période d'un an renouvelable, parmi les magistrats honoraires figurant sur une liste établie par le garde des Sceaux et publiée au *Journal officiel*. La saisine du conciliateur, qui n'interrompait ni ne suspendait la prescription, les délais de déchéance et de recours se faisait sans forme. Elle appartenait aux personnes morales comme aux personnes physiques. Par un arrêt Roujansky du 31 mai 1989 le Conseil d'Etat a annulé le décret du 15 mai 1981, car seule une loi pouvait intervenir dans ce domaine.

L'absence de cadre législatif n'empêcha pas le développement de la conciliation dans les hôpitaux publics. Après une année expérimentale jugée concluante à l'hôpital Bichat (avec le P^r Ph. Thibault) l'Assistance publique de Paris a mis en place des conciliateurs médicaux (parfois appelés « médiateurs ») dans 26 hôpitaux de courts séjours. Une lettre cadre du directeur général de l'Assistance publique de janvier 1992 sert de base à leur mission.

Leur mission qui porte essentiellement sur l'information des patients et non plus sur l'indemnisation, revient naturellement à des médecins et non plus à des magistrats honoraires. Elle se rattache à une volonté d'humanisation de l'hôpital ainsi qu'à une nouvelle approche de la maladie et de la mort. Son fondement éthique dépasse le simple règlement non contentieux de litiges. Les services contentieux des hôpitaux ou des compagnies d'assurances se chargeant eux, de rechercher une solution amiable à certains désaccords sur l'indemnisation, qui constituaient la branche principale de la mission des conciliateurs de 1981.

Les commissions de conciliation, annoncées par la Charte du patient hospitalisé annexé à la circulaire ministérielle n° 95-22 du 6 mai 1995, préconisant que le directeur d'établissement s'efforce de mettre en place une fonction de médiation ont été instituées par l'article L. 710-1-2 du Code de la santé publique. Le décret n° 98-1001 du 2 novembre 1998 qui les organise place en leur sein le médecin conciliateur.

C) *Perspectives.* — L'étude du Conseil d'Etat envisage d'accroître le rôle de la conciliation dans la solution des litiges en matière administrative. Il lui apparaît nécessaire d'inciter à son utilisation croissante par deux moyens complémentaires :

— Premier moyen, la « revitalisation » du recours administratif préalable. La procédure gracieuse, en permettant un nouvel examen d'une décision contestée par un administré aurait dû faciliter la conciliation. Faute d'un examen réellement approfondi des requêtes, et en raison de leur examen à un échelon de responsabilité insuffisant cette possibilité de conciliation échoue. Il conviendrait de s'inspirer de l'exemple concluant du recours préalable obligatoire qui depuis 1928 permet de régler hors contentieux 95 % des réclamations fiscales. Les commissions départementales de remembrement rural qui règlent au stade préjuridictionnel une proportion élevée de litiges, servent aussi de référence. C'est pourquoi l'étude du Conseil d'Etat préconise de généraliser la requête gracieuse obligatoire (p. 34).

— Deuxième moyen, l'institution d'une procédure de conciliation « destinée à permettre au juge administratif de remplir la mission déjà prévue par l'article L. 3, al. 2 du Code des tribunaux administratifs et des cours administratives d'appel, en lui donnant le pouvoir de contraindre, avec souplesse, l'administration et l'administré à la recherche d'un accord » (étude précitée p. 31).

Une distinction importante se dessine entre la conciliation obligatoire (projet de décret en matière de litiges relatifs aux travaux publics et aux dommages de travaux publics soumis à l'Assemblée générale du Conseil d'Etat le 28 juin 1990) et la conciliation facultative mise en œuvre sans succès en 1980 dans le ressort de 4 tribunaux administratifs. Après avoir hésité entre les deux systèmes, le rapport opte résolument pour une procédure facultative de conciliation. Le champ de la conciliation comprendrait, le contentieux du recours pour excès de pouvoir (p. 40), ainsi que le contentieux des marchés publics.

2. **La transaction en droit public** peut se prévaloir d'une pratique ancienne et abondante malgré ses origines civilistes. Il s'agit d'une technique ancienne, reconnue par le Conseil d'Etat depuis un arrêt Ministre de la Marine c/ Corbet du 22 juin 1883 (*Rec.,* p. 589), et pouvant être opérée par la plupart des collectivités publiques (les statuts des établissements publics l'autorisent libéralement. Elle constitue souvent l'aboutissement d'une conciliation.

Malgré des inégalités marquées entre les collectivités, la transaction est une pratique étendue. L'étude précitée du Conseil d'Etat dresse un tableau diversifié de l'utilisation de la transaction par les collectivités publiques (p. 56 à 83). Si certaines administrations et certains secteurs en font un large usage (l'administration fiscale en effectue de 15 à 20 000 par an ; l'indemnisation des préjudices subis à la suite des attroupements et des manifestations, ainsi que du refus du concours de la force publique dont elle est devenu le mode de règlement de droit commun puisqu'en 1991 7 264 transactions sont intervenues pour un montant global de 150 millions) il existe de nombreuses raisons à sa faible utilisation dans d'autres secteurs. On constate sa faible utilisation dans celui des dommages de travaux publics et son absence du secteur des marchés publics.

La loi du 2 mars 1982 élargit le potentiel de la transaction en supprimant une entrave d'importance qu'imposait l'article 2045 du Code civil, l'autorisation expresse du président de la République pour les communes. Il ne reste que les limites de fond posées par deux arrêts du Conseil d'Etat interdisant les transactions qui masqueraient une libéralité de l'Administration (Sieurs Mergui, 19 mars 1971, *Rec.*, p. 235) ou à son profit (SA Entreprise Renaudin, *Rec.*, p. 139). Les textes organisant la transaction en matière fiscale présentent l'intérêt de prendre en compte la dimension *pénale* de la transaction ; ils prévoient à cet effet l'intervention du ministère public.

3. **L'arbitrage.** — L'arbitrage est une procédure, commune au droit privé et au droit public. Malgré une certaine diversité dans les procédures d'arbitrage, il existe un régime juridique commun pour l'essentiel, qui résulte dans ses grandes lignes des articles 2059 à 2061 du Code civil et du livre IV du Code de procédure civile.

L'arbitrage ne s'est développé que tardivement en droit administratif, il semblait contradictoire que l'Etat détienne le monopole de la mission de rendre la justice et recourt à des juges privés pour la solution de litiges le concernant ainsi que d'autres collectivités publiques. C'est donc logiquement que l'article 2060 C. civ. interdit l'arbitrage notamment pour « les contestations intéressant les collectivités publiques et les établissements publics ». Selon un principe général du droit public bien établi et rappelé dans un avis du Conseil d'Etat du 6 mars 1986 à propos de l'affaire EuroDisneyland : « Les personnes morales de droit public ne peuvent pas se soustraire aux règles qui déterminent la compétence des juridictions nationales en remettant à la décision d'un arbitre la solution des litiges auxquels elles sont parties et qui se rattachent à des rapports relevant de l'ordre juridique interne. » Dans une décision juridictionnelle cette fois, le Conseil d'Etat a fait une application rigoureuse de ce principe (3 mars 1989, Sté Area, *Rec.*, p. 69).

Il existe cependant des exceptions qui résultent soit de la loi soit de conventions internationales :

— Tout d'abord l'article 247 CMP « conformément à l'article 69 de la loi du 17 avril 1906... l'Etat peut pour la liquidation de ses dépenses de travaux et de fournitures recourir à l'arbitrage tel qu'il est réglé par le livre IV du Nouveau Code de procédure civile.

— La loi n° 75-596 du 9 juillet 1975 permettant à certaines catégories d'établissements publics de compromettre.

— Mais aussi la loi du 30 décembre 1982 permettant à la SNCF de passer des conventions d'arbitrage, celle du 2 juillet 1990 à la Poste et à France Télécom.

— La loi du 19 août a permis de surmonter l'avis défavorable du CE à propos d'EuroDisneyland en permettant l'arbitrage dans le contentieux des contrats conclus entre les collectivités publiques et des sociétés étrangères en vue de la réalisation d'investissements.

— De nombreuses conventions internationales prévoient un éventuel arbitrage par exemple le traité de Canterbury du 12 février 1986 relatif au tunnel sous la Manche.

III. — La nébuleuse « conciliation-médiation »

On y trouve d'abord la « médiation » judiciaire de droit commun et la « médiation » pénale.

1. **La « médiation » judiciaire.** — L'exposé des motifs relatif à la proposition de loi n° 185 « portant institution de la médiation judiciaire » présentée par le sénateur Jacques Larché (enregistrée à la présidence du Sénat le

11 janvier 1989) mettait immédiatement en avant une volonté de désencombrer le rôle des tribunaux (devant les tribunaux de grande instance 522 734 affaires civiles restaient à juger au 31 décembre 1986). Le texte se présentait comme la légalisation d'une pratique spontanée de la cour d'appel et du tribunal de grande instance de Paris qui s'appuyait sur l'article 21 du Nouveau Code de procédure civile qui, rappelons-le, intègre la conciliation dans la mission du juge, pour charger des médiateurs de régler amiablement certains conflits. Pour les auteurs du projet, si efficace qu'elle soit, cette pratique avait l'inconvénient d'aller au-delà de ce que permet l'article 21 NPC, qui semble réserver au juge seul le soin de concilier les parties, sans possibilité de déléguer. La légalisation de la conciliation judiciaire était donc le premier objectif de la proposition qui opérait en même temps sa requalification en « médiation » sans explication.

L'économie générale du texte faisait de la « médiation » un moyen d'améliorer le fonctionnement de la justice. Le juge restait maître d'organiser la « médiation », d'en déterminer le processus, d'en fixer les modalités, en particulier la durée sans excéder trois mois. Le « médiateur » aurait dû lui rendre compte des résultats de sa mission. Le mode de rémunération du « médiateur » fut mal accueilli. La rémunération était à la charge des parties après arbitrage du juge, une fois la mission accomplie, compte tenu des circonstances de la cause, elle aurait pu par exemple suivre le sort des dépens de l'instance.

Parallèlement à cela P. Arpaillange proposa à plusieurs reprises le développement de la « médiation » pour réduire les distances sociales, culturelles et économiques entre la justice et les justiciables. Ce souhait inspirait le projet de loi instituant la « médiation » devant les juridictions de l'ordre judiciaire qu'il présente devant l'Assemblée nationale le 26 avril 1989 et dont l'article 1 prévoyait que « le juge peut, même d'office, désigner une personne de son choix, en qualité de médiateur, pour entendre les parties, confronter leurs prétentions et leur proposer une solution de nature à les rapprocher ». Le juge pouvait décider le renvoi devant un « médiateur » même en cours de procédure pour éviter le jugement proprement dit. Le texte ne prévoyait pas l'institution d'un corps de médiateurs, les médiateurs restant des personnalités choisies cas par cas. Le projet n'était pas allé au-delà de la discussion à l'Assemblée nationale le 5 avril 1990.

La volonté du législateur de donner un nouvel essor à la résolution amiable des conflits finit par aboutir à l'adoption de la loi n° 95-125 du 8 février 1995 dont l'article 21 permet au juge de désigner après accord des parties, une tierce personne pour procéder — soit aux tentatives préalables de conciliation prescrites par la loi (sauf en matière de séparation de corps ou de divorce) — soit à une médiation, en tout état de procédure, y compris en référé, pour tenter de parvenir à un accord entre les parties. Pas plus que son décret d'application (n° 96-652 du 22 juillet 1996, elle ne sort la médiation de la nébuleuse des modes alternatifs de conflits. De nombreux auteurs en concluent (légitimement si on s'en tient au droit positif) qu'il n'existe pas de différence de nature mais seulement de degré entre la médiation et la conciliation. La loi du 8 février 1995 dont le P\ Jarosson critique justement la déplorable rédaction est donc en plus stérile conceptuellement. Stérile en pratique aussi son décret d'application qui donne au justiciable moins de garantie en matière de formation *spécifique à la médiation,* que certains codes de déontologie d'origine associative.

2. « **La médiation** » **pénale.** — La pratique de la conciliation pénale décrite plus haut va recevoir sur le terrain et dans les textes une autre qualification : « médiation » pénale ou parfois « médiation » réparation sans qu'on puisse établir les raisons du changement terminologique. On doit déplorer l'absence de réflexion théorique pour justifier le changement de terme à propos de pratiques identiques.

A) *La requalification sur le terrain.* — A l'occasion de la petite délinquance des mineurs des magistrats s'appuyant sur l'article 40 CPP se lancent dans des expériences, parfois qualifiées « médiations-réparations ». S'agissant de la petite délinquance des majeurs, les pouvoirs publics prennent à leur compte depuis peu les initiatives de magistrats isolés, sous le thème de la « justice de proximité ». Les parquets de Rennes et de Pontoise avaient ouvert la voie. Ces pratiques spontanées mais finalement convergentes de certains magistrats souvent du parquet aboutissent au développement de la Justice de proximité. Le terme recouvre indifféremment les antennes de justice et les maisons de justice. Elles partagent la caractéristique commune d'être des espaces judiciaires déconcentrés sous l'autorité du parquet qui reste de maître des poursuites, ou d'autres magistrats et souvent animées avec la collaboration des barreaux.

Les antennes de justice s'installent dans des quartiers difficiles sur mandat du parquet. Elles regroupent des intervenants variés des magistrats honoraires, des avocats, des représentants d'associations d'aide aux victimes et fonctionnent souvent en coordination avec des maisons du droit qui facilitent l'accès au droit. Les antennes de justice effectuent des « médiations » civiles, pénales, donnent des conseils et des informations juridiques, parfois elles assurent le suivi des mesures éducatives. Elles fonctionnent sous le contrôle des magistrats.

Les maisons de justice issues des initiatives contemporaines et spontanées de magistrats : M. Moinard, procureur de la République au TGI de Pontoise en 1990 (qui suscita la création d'une maison de justice à Cergy-Pontoise le 16 juin 1990), Mme Beau juge pour enfants à Strasbourg qui inspirèrent la délégation ministérielle à la ville. La coïncidence entre cette initiative et la politique judiciaire de la ville allait favoriser le développement des maisons de justice. Dans cette période, le procédé de création est en général le suivant : un magistrat propose au conseil départemental de la prévention de la délinquance, présidé par le préfet de mettre en place une ou plusieurs antennes de justice. Une commune concernée propose un local.

Service public, le mensuel de la fonction publique et des réformes administratives dans un article « La maison de justice », décrit le fonctionnement de l'antenne de justice de Gennevilliers dans le quartier du Luth (n° 4, mai/juin 1992, p. 4). Dans cette annexe du parquet de Nanterre, installée dans une HLM trois permanents ont pour mission de rapprocher la justice de l'usager. Un secrétaire, un travailleur social, salarié de l'association départementale d'aide aux victimes d'infractions pénales, conseillent, orientent, tout en assurant le suivi des décisions du magistrat du parquet. Ce dernier, le troisième permanent, exerce au sein de l'antenne toutes les attributions du procureur de la République, il rend selon l'expression du procureur de la République de Nanterre, M. Pierre Lyon-Caen

« une justice en dentelle », au plus près des préoccupations d'une population en situation difficile. Le substitut M. J.-P. Alachi présente les avantages qu'il attribue à l'antenne de justice. Elle rappelle la loi et la présente sous un aspect non exclusivement répressif. Par la pratique de la réparation, elle facilite la réhabilitation de l'auteur de l'infraction et lui évite la poursuite pénale. Elle constitue une mine de renseignements grâce au contact direct avec les associations et les gardiens d'immeubles.

L'hétérogénéité des pratiques allait conduire la chancellerie à élaborer une charte des Maisons de justice et du Droit (octobre 1992). A la suite du rapport Vignoble (février 1995) le ministère de la Justice a favorisé leur création (circulaire mars 1996) dans la recherche d'une justice de proximité.

B) *La requalification dans les textes.* — C'est cette pratique de conciliation pénale rebaptisée « médiation » que consacre la loi n° 93-2 du 4 janvier 1993 : « Le procureur de la République peut enfin, préalablement à la décision sur l'action publique et avec l'accord des parties, décider de recourir à une médiation » (art. 41 CPP). Précédemment, un projet d'amendement déposé par le gouvernement devant l'Assemblée nationale le 27 avril 1992 avait tenté d'officialiser la pratique de la « médiation-réparation », à propos des mineurs seulement.

Mais ce sont des textes antérieurs émanant de la chancellerie, qui entraînée sans qu'elle maîtrise l'utilisation du terme médiation par ses partenaires (notamment l'INAVEM, Institut national d'aide aux victimes et de médiation, et le CLCJ, Comité de liaison des associations de contrôle judiciaire) qui a vraisemblablement favorisé le changement terminologique intempestif. Plus récemment, la note d'orientation sur la médiation pénale diffusée en octobre 1992 par la Direction des affaires criminelles et des grâces décrit des pratiques et pose des objectifs conformes en tous points aux précédentes expériences de conciliation pénale. La « médiation pénale » (entre guillemets dans le texte même de la note, p. 3) y figure comme la réponse donnée dans 75 tribunaux à la petite délinquance et comme un mode d'exercice de l'action publique au même titre que le classement sous condition dont elle serait une modalité. Le décret du 10 avril 1996 et la loi nº 98-1163 du 18 décembre 1998 consacrent le terme médiation pénale à un moment où les acteurs commencent à douter de sa pertinence.

Que dire au terme de cet inventaire à la Prévert ? On peut avancer deux explications à son caractère décousu. La difficulté d'enfermer dans des limites nécessairement étroites et sans un recul chronologique suffisant, une réalité si riche et si mouvante. Le caractère décousu du tableau présenté, révèle surtout l'impossibilité scientifique de l'entreprise. *La plupart des expériences mentionnées ici n'ont à voir avec la médiation que le nom dont on les pare. L'impression d'incohérence ressentie à sa lecture est donc parfaitement justifiée. Elle rend nécessaire une mise au point terminologique et au-delà une réflexion théorique sur la médiation.*

Avant d'aborder cette étape il convient de faire la synthèse de l'observation du phénomène : si on excepte la médiature de la République, la médiation est un phénomène surgi le plus souvent de la société civile, et ce dans tous les secteurs de la médiation. L'innovation sociale qu'elle engendre est partie d'initiatives discrètes, dispersées, qui progressivement s'intègrent dans un réseau associatif. Dans quelques secteurs, certaines associations se sont rapprochées des institutions publiques au point d'en devenir des auxiliaires. Le télescopage entre la spontanéité de la médiation et l'appareil officiel a engendré un flou gênant. L'orchestration des pouvoirs publics n'est pas systématique, elle prend des formes variables et obéit à une chronologie propre à chaque pays, mais elle provoque le plus souvent un hiatus entre les termes utilisés par les pouvoirs publics et la réalité sur le terrain.

DEUXIÈME PARTIE

ÉBAUCHE D'UNE THÉORIE DE LA MÉDIATION

La médiation en est à ses débuts, s'il est nécessaire d'ébaucher son statut épistémologique, il serait présomptueux de faire aujourd'hui sa théorie. Elle va encore évoluer. La médiation n'est pas un concept flou, elle bénéficie d'une définition rigoureuse mais pâtit d'une utilisation irréfléchie. Cette constatation suffit à rendre prioritaire un effort théorique intense. Peu de praticiens en perçoivent l'urgence, la logique de l'action primerait celle de la réflexion. Une partie de la doctrine fait cependant preuve de clairvoyance. Ainsi A. Jeammaud après avoir constaté la large utilisation du terme, déplore les incertitudes du langage juridique français qui ne réserve pas le terme médiation « à la désignation de procédés toujours analogues que leurs traits communs distingueraient de procédés autrement dénommés ». A l'incertitude de la terminologie législative s'ajoute celle du langage des acteurs et de nombreux professionnels du droit. Pourtant, les divers termes en cause sont alors autant de « noms » de qualifications juridiques distinctes, auxquelles sont attachés des effets de droit différents. Liée à l'imbrication de dispositifs normatifs conçus sans plan d'ensemble autant qu'à un effet de mode, cette incertitude du *langage du droit* suggère un « passage à la théorie ». Condition d'un progrès dans l'intelligence de la régulation des rapports sociaux par le droit, ce passage commande « l'élaboration de catégories dont les noms, même s'ils sont empruntés au lexique du langage d'ordres juridiques historiques, appartiennent alors à un métalangage » (in *La médiation : un mode alternatif de résolution des conflits ?*, Colloque de Lausanne, 14-15 novembre 1991, p. 35). Après avoir satisfait à la première urgence celle de la définition il sera intéressant de réfléchir aux références de la médiation et à son régime juridique.

Chapitre I

DÉFINITION ET NATURE
DE LA MÉDIATION

L'exigence de cohérence conduit à rechercher une correspondance entre la nature profonde d'un phéno-mène, sa définition et tous les éléments de son statut. La méthode inductive à partir de l'observation large d'un phénomène permet d'isoler le ou les traits saillants et donc de définir. Appliquée à la médiation la méthode inductive commande de dépasser la présentation par secteurs de l'activité sociale opérée dans la première partie et de classer d'une manière plus significative les expériences de médiation. L'établissement d'une typologie des variétés de médiations combinée aux observations de la première partie sert de base à une définition de la médiation (I) ainsi qu'à une hypothèse sur sa nature (II).

I. — Définition

1. **Les variétés de médiation.** — La théorie de la médiation doit beaucoup à l'ouvrage de Jean-François Six, *Le Temps des médiateurs* déjà cité qui préserve son ampleur, en mettant en valeur toutes ses facettes. « Une définition générale de la médiation doit prendre en compte qu'il y a quatre sortes de médiation, les deux premières étant destinées à faire naître ou renaître un lien, les deux autres étant destinées à parer à un conflit » (p. 164). J.-F. Six présente le tableau suivant *(ibid.)* : Il y a « la médiation créatrice » qui a pour but de susciter

entre des personnes ou des groupes des liens nouveaux ; il y a « médiation rénovatrice » qui réactive des liens distendus ; il y a « la médiation préventive » pour éviter l'éclatement d'un conflit et « la médiation curative » pour aider les parties en conflit à en trouver la solution. En conservant l'essentiel ne pourrait-on pas ramener à deux les grandes formes de la médiation : en distinguant les médiations en dehors de tout conflit, des médiations conflictuelles (on pourrait oser un jeu de mot, les médiations de différences par opposition aux médiations de différends) ? L'effort de classification des variétés de médiations ne doit cependant pas masquer l'indivisibilité de la médiation, son unité fondamentale.

A) *La médiation de différences.* — C'est la médiation de droit commun, car la différence est à la base de toute construction sociale. Une société se construit grâce à l'établissement de passerelles entre les différences. Le lien social ne se fabrique jamais d'une manière binaire, en immédiateté, il passe par la médiation d'un élément tiers, objet, être et par le médiateur par excellence le langage. Ces médiations se produisent quotidiennement, le plus souvent sans qu'on s'en aperçoive, sans heurts. C'est quand elles ne se produisent plus qu'on a l'intuition de leur existence. La médiation s'appréhende plus par son manque que par son bon fonctionnement, ce qui explique que la médiation de conflit, plus spectaculaire ait focalisé l'attention au point de masquer la médiation de droit commun. Le rôle des hormones n'a été entrevu qu'à l'occasion de la pathologie due à leur défaillance. En dehors de tout conflit la médiation peut créer des liens jusqu'alors inexistants, ou restaurer des liens distendus sans heurts, l'une est créatrice, l'autre restauratrice. L'une construit le tissu social, l'autre en comble les déficits. La médiation créatrice requiert une vigilance toute particulière, car là encore, dans un premier temps au moins, le manque de relation est moins criant que le conflit. La médiation de différences est une médiation entre les indifférences, elle demande une action anticipatrice, soutenue et quotidienne et souvent discrète.

Comme le tissu social n'est pas aussi perfectionné que le tissu biologique, l'activité médiatrice entre ses éléments n'est ni systématique ni continue. La vie sociale n'exclut donc pas le conflit.

B) *La médiation de différends.* — Dans le domaine des conflits, on distingue selon que la médiation intervient dans le but de prévenir un conflit que le médiateur, intuitif, aura détecté à temps, ou selon qu'elle est seulement curative. Par un travail sur les mots qu'utilisent les médieurs (c'est le terme qui s'est imposé finalement plutôt que celui de médiés utilisé dans les temps pionniers et qui ne reflétait pas le rôle actif des partenaires du conflit ou plutôt que le terme médiacteur sans doute préférable mais apparu trop tardivement). Par une écoute vraie, le médiateur va les aider à formuler leurs demandes en termes clairs, personnels et fidèles, leurs griefs, leurs valeurs communes ou divergentes, leurs histoires. Par une question pertinente, au bon moment, une maïeutique qui demande une grande puissance personnelle en même temps qu'un relatif effacement, il va les acheminer vers leur solution. Il s'agit là d'un aspect important de la médiation, sous-employé. « On a encore trop souvent tendance à faire appel à des médiateurs quand tout va mal... Ne sauraient-ils, à l'avenir, jouer efficacement le même rôle en amont du conflit ? Ils ne seraient plus l'ultime recours pour le résoudre, mais ceux qui expliquent les motivations et les raisons des positions défendues. Telle est l'attente de tous ceux et celles qui se forment à ce rôle de médiation » (C. Varin, *Cahiers,* nº 57, p. 19).

Quand la médiation intervient après l'éclatement du conflit, c'est la médiation réparatrice, la plus connue celle qui éclipse les autres formes de médiation. Il existe plusieurs raisons de recourir à la médiation réparatrice. La première peut être que ce conflit ne relève pas de la justice. En effet, il existe des conflits qui sont justiciables et d'autres qui ne le sont pas, car ils ne reposent pas sur des éléments juridiques. La dimension psychologique ou politique l'emporte, on ne peut faire trancher le litige en droit, il faut une autre formule.

La seconde concerne le cas où il s'agit bien d'un conflit qui relèverait de la justice, mais la médiation lui sera préférée. 1On la supposera plus rapide, moins coûteuse, moins traumatisante, plus apte à dégager une solution durable.

Quoi qu'il en soit, la médiation réparatrice n'est qu'une variété de médiation et non une catégorie autonome.

C) Il faut présenter un cas extrême de médiation *la médiation d'urgence* dont le départ bouscule le cadre strictement volontariste de la médiation habituelle. Le médiateur force le passage, il suscite la médiation quand les partenaires sont en danger et si bloqués qu'ils ne peuvent la demander. Bien sûr le médiateur ne s'imposera pas par la force mais par la conviction. Il agira comme une force de proposition active. L'adhésion ultérieure des médieurs replacera la médiation dans son cadre volontariste habituel.

2. **Définition globale.** — Globalement la médiation se définit avant tout comme : un mode de construction et de gestion de la vie sociale grâce à l'entremise d'un tiers, neutre, indépendant sans autre pouvoir que l'autorité que lui reconnaissent les médieurs qui l'auront choisi ou reconnu librement.

Remarques :

— la médiation s'assigne une mission fondamentale de rétablissement ou d'établissement de la communication ;
— le conflit ne fait pas partie de la définition globale de la médiation, mais la définition globale de la médiation ne lui interdit pas de résoudre les conflits ;
— la médiation est *ternaire* dans sa *structure* et dans son *résultat*. La médiation est fondamentalement ter-

naire dans sa structure. Sans le troisième élément, la médiation n'existe pas. Comme on le verra le tiers ne doit pas être un trompe l'œil, évanescent ou même le mandataire d'un des médieurs, car dans ce cas par l'effet de la théorie de la représentation on retomberait dans le binaire. Le troisième n'est pas toujours un tiers.

Cette caractéristique fondamentale la distingue de la négociation et de la conciliation qui peuvent faire l'économie du tiers. Il n'y a jamais des médiations directes, l'étymologie interdit l'éviction de l'intermédiaire. La médiation ne se contente pas d'être ternaire dans sa structure elle l'est aussi dans ses résultats. Ce qui la distingue radicalement de la justice qui, si elle est bien comme la médiation, ternaire dans sa structure, grâce au juge extérieur au conflit et indépendant des parties, est binaire dans son résultat : même si le juge peut rechercher la conciliation jusqu'au dernier moment la mission de la justice lui fait obligation de trancher : d'un coté le droit de l'autre la violation du droit. L'étude adoptée par l'assemblée générale du Conseil d'Etat le 4 février 1993 p. 13 le réaffirme on ne peut plus nettement qui présente la problématique d'ensemble des nouveaux modes de règlement des conflits en les opposant au mode classique : « ... Et ce règlement tranche ordinairement le litige de façon binaire. » En effet quand le juge accueille les prétentions d'une partie, en lui donnant raison, il rejette celles de la partie déboutée. Il peut concilier, il ne peut jamais faire de médiation (dès lors comment pourrait-il déléguer comme on l'affirme parfois un pouvoir de médiation qu'il n'a pas ?).

3. **Les critères de la médiation.** — Chaque élément de la définition globale mérite un intérêt particulier, car elle fournit les critères permettant de qualifier une pratique de médiation.

A) *L'intervention d'un tiers tout d'abord.* — Elle sort les médieurs (les partenaires à la médiation) d'un face à face réducteur. Ce noyau dur de la médiation la distingue à coup sûr de la négociation ou de la conciliation qui laissent en présence deux parties en conflit, chercher une solution avec l'assistance éventuelle d'avocats ou d'experts. Le tiers joue un rôle important dans de nombreuses théories qu'il s'agisse du dépassement du rapport dialectique pour Hegel, de la figure du tiers impartial pour Simmel (v. J. Freund, *Sociologie du conflit,* Paris, PUF, 1983). Dans la définition de la médiation il doit cumuler des qualités précises, ayant toutes pour objectif d'en faire vraiment un tiers (neutralité, indépendance) mettant en œuvre un processus vraiment ternaire (l'absence de pouvoir institutionnel du tiers).

B) *L'indépendance du tiers.* — Il est capital que ce tiers soit vraiment un tiers, neutre, indépendant. Il existe trop de médiations dans lequel le médiateur n'est que l'émanation d'un des demandeurs de médiation (le représentant de ses intérêts) ou que l'émanation d'une des autorités traditionnellement chargées de trancher les litiges, de manière traditionnelle c'est-à-dire binaire.

C'est le cas des « associations » totalement liées au pouvoir judiciaire par des conventions rédigées par le parquet et dont le respect conditionne la prise en charge financière de la « médiation ». Certaines font penser à la formule popularisée par le Pr de Laubadère « Les associations faux nez de l'administration », ou à la formule plus technique mais tout aussi parlante de « Démembrements de l'Etat », figurant dans le rapport public de la Cour des comptes (1960-1961). L'évaluation de la réalité de l'indépendance des associations de médiation sera une question d'espèce. On sait que le Conseil d'Etat tient compte de la composition de son bureau, de son financement, de son mode de fonctionnement (CE, 11 mai 1987, Divier).

Lorsque le prétendu médiateur est en réalité un mandataire, on se retrouve dans un système binaire de négociation. Les avocats ressentaient parfois ce type de difficultés lorsqu'ils tentaient une « médiation » familiale. Ils amorçaient plutôt une négociation ou une conciliation qui suspendait provisoirement les hostilités. En cas de reprise de celles-ci ils redevenaient les représentants des adversaires, ce qu'ils n'avaient jamais cessé d'être, conformément à l'essence même de leur mission et comme leur déontologie leur en fait obligation. Depuis peu, les barreaux ont pris conscience de cela et désormais les avocats interviennent plutôt comme conseils de médieurs. Quand ils interviennent comme médiateurs, c'est dès le départ et sans changement de rôle en cours de médiation.

L'appréciation de l'indépendance du tiers est particulièrement exigeante en matière de médiation. Dans d'autres domaines, on se contente généralement d'une absence de soumission à un pouvoir hiérarchique pour apprécier l'indépendance. C'est principalement pour cette raison que les autorités administratives indépendantes sont qualifiées telles. L'absence de pression politique, morale ou financière guide aussi l'appréciation de l'indépendance. S'agissant du médiateur il doit aussi veiller à son indépendance fonctionnelle sa saisine peut-elle dépendre de la volonté d'un pouvoir ? Peut-il accepter de rendre compte à une autorité du déroulement d'une médiation ? Le secret absolu du médiateur est un élément de son indépendance. Le médiateur peut-il accepter qu'une procédure stéréotypée et préétablie lui soit imposée, notamment le respect d'un délai comme pour certains « médiateurs » en assurance ? Il arrive que la charte des compagnies interdise à ces derniers d'organiser une rencontre des parties en sa présence. Les conditions de rémunération du médiateur non bénévoles constituent le point névralgique de certaines situations à la limite de la médiation. Le bénévolat n'est pas un critère de la médiation, mais les conditions de la rémunération doivent faire l'objet de précautions préservant l'indépendance du médiateur.

C) *Neutralité du tiers.* — La neutralité en médiation exige non seulement l'absence de partialité mais aussi la faculté de distanciation du tiers.

L'absence de partialité, est le moins qu'on puisse exiger d'un médiateur, bien plus il doit éviter le soupçon de partialité. Au regard de l'exigence de neutralité, on éprouve une certaine gêne devant l'appellation adoptée par des associations d' « aide aux victimes et de médiation ». Même si les victimes méritent toute forme d'aide, même si dans la pratique certaines de ces associations ne nient pas systématiquement le délinquant et sont réellement impartiales, il n'empêche que leur appellation en les constituant défenseur de la victime les disqualifie en tant que tiers. Dans un autre domaine, certains médiateurs en assurances n'ont pas toujours une bonne image de marque auprès des assurés, qui les ressentent comme une émanation du service qualité, ou du service clientèle quand ce n'est pas du service contentieux de la maison.

· La faculté de distanciation est une forme plus subtile de la neutralité, car elle requiert de la part du médiateur un effort de lucidité en profondeur sur lui-même. Il doit lucidement se demander si un des éléments de la situation dans laquelle il intervient n'éveille pas en lui des résonnances insoupçonnées, qui le conduisent à s'identifier à un des médieurs et donc à n'être plus tiers. Littéralement si le tiers « est pour » un des partenaires il n'y a plus de tiers, mais un renforcement insidieux d'un des pôles de la situation, il y a assistance et non médiation. Beaucoup de « médiateurs » gravitant autour de la justice font en réalité œuvre d'assistance sociale, les plaçant dans un système là encore binaire... Des assistantes sociales ou des enquêteurs sociaux, réapparaissent avec une casquette de « médiateurs », ils fournissent de gros bataillons de services de « médiation » pénale. Leur qualité de médiateur dépendra de leur formation spécifique à la médiation et de leur capacité à changer d'image auprès de leurs interlocuteurs habituels.

D) *L'absence de pouvoir institutionnel du tiers.* — Le médiateur n'a d'autre ressource que l'autorité que lui reconnaissent les demandeurs de médiation, en s'adressant à lui, sans la contrainte d'une quelconque institution. L'absence de pouvoir et le libre choix induisent chez les médieurs une attitude active, constructive, facilitant l'émergence d'une solution qu'il leur appartient de trouver en toute autonomie. La médiation se distingue du jugement et de l'arbitrage. Le juge ou l'arbitre sont des tiers, indépendants des parties mais ils reçoivent institutionnellement le pouvoir de trancher. Pas le médiateur, ce qui préserve intégralement la liberté des médieurs. L'absence de pouvoir est un facteur très important, or souvent on pense qu'il suffit de ne pas donner au médiateur le pouvoir de décision pour réaliser cette condition. L'absence de pouvoir s'évalue d'une manière plus subtile, perceptible grâce à des exemples concrets.

La « médiation » pénale met le médiateur en position de force : c'est évident quand c'est le magistrat du parquet lui-même qui procède à la « médiation ». Dès lors, on voit mal comment on peut parler de « médiation » à propos des activités de médiation pénale, menées par des magistrats du parquet, même s'ils les pratiquent sans robe et dans un local avenant, surtout s'ils se réservent la faculté de poursuivre en cas d'échec de la « médiation ». Pour le délinquant ce n'est en fait guère différent quand de sa soumission à une médiation même effectuée par un tiers dépend le classement sans suite de son dossier par le parquet. Quand le refus de la médiation a la réputation (puisque cela s'est produit) de passer pour une circonstance aggravante devant certains tribunaux si l'affaire reprend son cours judiciaire classique, il ressent nécessairement le nouvel intervenant comme une autorité. C'est le cas également des « médiateurs » présentés par le juge n'ont-ils pas dans l'esprit des médieurs une parcelle de son pouvoir ? L'état d'esprit des destinataires de la « médiation » s'apprécie à partir de leur degré de culture. Dans des milieux peu informés des arcanes judiciaires le mode de présentation (la saisine, quand ce n'est pas la convocation !), le local (un espace judiciaire déconcentré) peuvent induire un maintien dans une passivité prudente et habituelle.

Les conciliateurs de justice figurent bien à tort dans la rubrique médiation. Ils font certes œuvre utile, mais s'ils contribuent à un changement de style d'une justice dont ils restent les auxiliaires, ils n'en sont pas fonctionnellement indépendants. La justice traditionnelle garde la haute main sur le traitement du litige. Ils recherchent certes une solution amiable, mais à l'ombre portée de l'appareil judiciaire, ce dont les justiciables ne peuvent se détacher. Dans le même ordre d'idée, la « médiation-réparation » est une technique qui ne perdrait rien à utiliser un terme correspondant mieux à ce qu'elle est, c'est-à-dire vraisemblablement de la conciliation pénale ou (pour la situer comme une troisième voie entre le classement sans suite pur et simple, qui aboutit à l'impunité et les poursuites pénales classiques qui semblent parfois d'une lourdeur excessive et disproportionnée) comme un classement sous condition de faire, ici sous condition de conciliation.

Voilà pour s'en tenir à l'essentiel ce qui caractérise la médiation. Il s'agit on le voit d'un concept suffisamment *précis,* une manière d'être en société suffisamment originale pour ne pas se faire phagocyter par des techniques qui n'ont avec elle rien de commun, et ne peuvent se prévaloir d'une définition aussi claire.

4. **L'autonomie conceptuelle de la médiation.** — Pour exister la médiation n'a besoin que du tiers et de son processus propre. Son autonomie conceptuelle résulte de la réalité du tiers et du caractère ternaire du processus de médiation. La médiation n'est pas une sous-catégorie ni même un adjuvant de certaines techniques de résolution non juridictionnelle des conflits, elle n'est pas non plus une province de la Justice.

La médiation est un des concepts majeurs de la philosophie, tous les dictionnaires de philosophie lui consacrent de consistantes définitions, ce qui n'est pas le cas de la conciliation ou de la négociation. La définition de la médiation y est positive, elle sert à la construction, au dépassement. Sa définition se passe d'une référence au conflit, ou à la juridiction.

Au stade actuel de son développement on considère trop souvent la médiation comme un moyen au service d'autres modes de règlement des conflits, ainsi : « La médiation » serait « le moyen qui doit conduire à un règlement du conflit par une entente entre les parties c'est-à-dire une conciliation » (La justice et ses institutions, J. Vincent, S. Guinchard, G. Montagnier, A. Varinard, *Dalloz,* 1991, n° 38).

Il faut donc prioritairement la distinguer de termes souvent présentés comme synonymes ou parents. Elle n'est pas : une négociation, un arbitrage, ni intervention d'autorité, ni une conciliation, ni une assistance à des individus en conflit, ni une transaction. Elle ne se réduit pas à la simple résolution des conflits (sur ces points fondamentaux v. la mise au point particulièrement nette de J.-F. Six, *op. cit.,* p. 144 et s.).

Dans cette approche, il faut garder à l'esprit que tout troisième n'est pas un tiers et la présence d'un tiers n'est pas à lui seul constitutif de médiation. H. Touzard ne le méconnaît pas : « L'intervention d'une tierce partie, neutre dans le déroulement d'une négociation répond habituellement à trois termes : la conciliation, la médiation et l'arbitrage » (*La médiation et la résolution des conflits,* PUF, 1977, p. 154).

A) *Autonomie par rapport à la conciliation.* — La conciliation fait partie de la mission du juge judiciaire et même administratif, ce qui lui donne un champ moins vaste de celui de la médiation puisque la mission juridictionnelle requiert l'existence d'un conflit.

a) Eléments de distinction.

— La conciliation est liée à l'existence d'un conflit, pas la médiation. La médiation existe en dehors des prétoires, en dehors de tout contentieux pour certaines de ses branches. Seule la médiation curative nécessite un conflit pour exister.

— Mais c'est le caractère facultatif du tiers qui distingue le plus surement la conciliation de la médiation. Deux définitions prises dans la doctrine le démontrent bien :

« La conciliation est un mode de règlement des différends grâce auquel les parties en présence s'entendent directement pour mettre fin à leur litige, au besoin avec l'aide d'un tiers (conciliateur) (in *La justice et ses institutions,* précité n° 34). Ou encore : « C'est un accord direct des parties pour mettre fin à leur litige. Elle peut être réalisée par les deux parties à un litige se réunissant entre elles sans la présence d'une tierce personne. Le plus souvent la conciliation se pratique avec l'aide d'un tiers nommé le conciliateur dont le seul rôle est de les faire se rencontrer » (M. L. Rassat, *Institutions judiciaires,* PUF, 1993, p. 294).

— Une autre différence non négligeable : à la différence de la médiation la conciliation peut être imposée par une autorité publique, ex. dans la procédure de divorce.

b) Application : la conciliation, parce qu'elle pourrait se passer du tiers, parce que le tiers ne fait pas partie de sa définition exige moins du tiers. Au contraire, la médiation ne supporte aucun laxisme quant au statut du tiers.

Ainsi le terme conciliation doit être préféré à celui de médiation à chaque fois que le tiers ne remplit pas *toutes* les conditions que doit absolument remplir le tiers dans le cadre de la médiation. Il en est ainsi par exemple dans tous les cas où le statut du tiers ne lui assure pas une totale liberté créatrice. Pour illustration, la plupart des « médiateurs » en assurance qui doivent respecter une procédure stéréotypée qui souvent exclut sa rencontre avec les parties et qui borne leur activité par des limitations de saisine et de délais, sont donc des conciliateurs.

B) *Autonomie par rapport à la transaction.* — La transaction pourrait se confondre avec la médiation à cause du compromis et de sa nature contractuelle, c'est un contrat spécial. L'article 2044 du Code civil la définit comme « la convention par laquelle les parties, au moyen de concessions réciproques, terminent une contestation née ou préviennent une contestation à naître ». Elle fait partie des contrats synallagmatiques, la réciprocité des concessions la distingue du désistement, de caractère nécessairement unilatéral.

On ne peut l'envisager que quand deux personnes peuvent chacune faire valoir des prétentions à l'égard d'une autre. L'abandon mutuel, écrit d'une partie des prétentions prévient ou éteint le litige. A la différence de la médiation la transaction a toujours un objet pécuniaire. Mais la différence la plus notable réside dans l'autorité de chose jugée que lui confère l'article 2052 C. civ. La transaction règle définitivement le litige qui ne peut plus être soumis devant un tribunal. Elle existe aussi en droit pénal.

84

C) *Autonomie par rapport à l'arbitrage*. — L'arbitrage est un mode juridictionnel non étatique, s'il est extra-étatique, il n'est pas extrajuridictionnel à la différence des modes extrajuridictionnels de règlement des litiges auxquels on l'associe souvent. C'est une procédure par laquelle les parties à un litige conviennent de le porter devant un arbitre dont ils acceptent par avance de respecter la sentence. Il s'agit d'une dérogation partielle au monopole de la justice d'Etat, d'une juridiction à base conventionnelle, composée de personnes privées choisies par les parties. L'arbitrage débouche sur une sentence arbitrale, véritable jugement, qui a valeur juridictionnelle, il ne s'agit pas d'un simple avis. La sentence arbitrale n'a cependant pas par elle-même de force exécutoire, son respect dépendrait de la volonté des parties, s'il n'était possible de lui conférer cette force contraignante par la procédure d'exequatur devant le président du tribunal de grande instance.

La diversité des catégories d'arbitrage se manifeste de plusieurs manières. Ainsi, le degré de liberté des parties varie quant au recours à l'arbitrage, au choix de l'arbitre ou à son absence, mais aussi quant à l'étendue de ses pouvoirs. Entre l'arbitrage de nature contractuelle faisant une large place à la volonté des parties à l'arbitrage et l'arbitrage obligatoire dans la plupart de ses étapes il existe une large gamme de procédure. Si en règle générale, les arbitres sont liés par les règles de droit, ils peuvent tenir compte de l'équité quand les parties leur ont confié la mission de statuer en amiables compositeurs.

Il ne devrait pas à première vue risquer la confusion avec la médiation puisqu'il confère à l'arbitre le pouvoir de trancher (Ch. Jarosson, *La notion d'arbitrage*, LGDJ, n°s 315 et s. ; B. Oppetit, Arbitrage, médiation et conciliation, *Rev. arbitrage*, 1984, n°s 307 et s.). Pourtant dans la dérive terminologique qui fait appeler médiateurs des experts il arrive que les deux parties s'en remettent d'avance à l'avis du médiateur, coinçant ce dernier dans uns rôle d'arbitre. Cela n'a pourtant rien d'étonnant. Comment des parties qui se voient proposer l'intervention d'un « médiateur » qu'on leur interdit de rencontrer (les procédures se font sur dossier) qui leur est présenté comme un spécialiste reconnu dans le domaine, qui va examiner le dossier sous un angle juridique éventuellement tempéré d'une dose d'équité, n'auraient elles pas tendance à le traiter en arbitre, dès lors qu'elles lui font confiance.

D) *Autonomie par rapport à la négociation.* — La médiation ne se réduit pas à être une négociation stimulée par un tiers. Dans la médiation comme dans la négociation chacun peut faire des concessions pour aboutir à un compromis. Il y a discussion en vue de se rapprocher. Mais le but de la médiation n'est pas nécessairement d'arriver à une solution médiane. Mais surtout, dans la négociation, le tiers n'est pas indispensable, chacun peut négocier pour son compte. La définition que H. Touzard donne de la médiation mentionne bien le tiers mais lui attribue un rôle trop faible, d'adjuvant ce qui le conduit à intégrer la médiation dans la négociation : « Il s'agit d'une négociation entre parties adverses en présence d'une tierce partie neutre dont le rôle est de faciliter la recherche d'une solution au conflit » (*La médiation et la résolution des conflits,* Paris, PUF, 1977, p. 87, précité).

L'arrêt de la cour d'appel de Versailles Syndis et autres c/ Sacem, 10 novembre 1988 (*GP*, 1989, p. 213) accumule les confusions. Après un départ mentionnant la mission de conciliation qui entre dans la mission du juge, elle préfère à une mesure d'instruction « une négociation conduite sous la médiation d'un expert » qu'elle désigne.

E) *Autonomie par rapport au conflit.* — L'assimilation de la médiation à une simple technique de règlement non juridictionnel des conflits est la confusion majeure, la plus attentatoire à l'autonomie de la médiation, et la plus réductrice de sa nature. Elle est fréquente. Ainsi dans l'ouvrage de Touzard précité la référence au conflit apparaît constamment. E. Leroy « entend par média-tion, toutes les formes de règlement négocié des conflits par l'intermédiaire d'une tierce personne n'intervenant pas en qualité de juge (*Annales de Vaucresson,* 2, 1988, p. 63). Pour F. Delpérée « elle suppose, d'abord l'existence d'une situation conflictuelle » (Administra-tion et médiation, in *Administration publique,* 1986).

En plus des raisons résultant de la définition de la médiation, il existe des raisons supplémentaires de rap-peler l'autonomie de la médiation par rapport au conflit. La première tient à la difficulté de définir le conflit, reconnue par H. Touzard lui-même (p. 82 de l'ouvrage précité). Difficulté corroborée par A. Touraine dans l'article conflits sociaux à l'*Encyclopoedia Universalis* : « On ne peut considérer dès le départ que l'analyse des conflits est établie sur des bases solides, que son objet existe de manière évidente. » La deuxième tient au caractère suspect de totalitarisme des tentatives systéma-tiques de suppression des conflits (voir *infra,* les référen-ces de la médiation).

II. — La nature de la médiation

Toute hypothèse sur la nature de la médiation doit respecter la cohérence et l'autonomie déjà observées à l'occasion de sa définition.

1. **Les indices.** — Les indices relevés dans la première partie convergent pour situer son origine dans la société civile. Les caractéristiques du processus de médiation achèvent de dessiner son signalement.

A) *L'origine de la médiation.* — Sous sa forme contem-poraine, la médiation est une innovation sociale surgie de la base. Son initiative revient soit à des citoyens agissant individuellement ou en associations, soit à des profes-sionnels : magistrats, avocats, psychologues, travailleurs sociaux, fonctionnaires, maires qui ressentent spontané-ment le besoin de mieux faire.

B) *Le processus de médiation.* — La médiation repose sur un processus propre.

a) Généralités. — L'absence de pouvoirs impose une méthode très précise, et interdit de trancher ou d'influencer selon un système binaire. Les deux grandes sortes de médiation requièrent la même méthode exigeante respectueuse de la complexité des situations humaines, comme de la liberté des partenaires. La médiation se fait en respectant un processus et non une procédure. Le passage du deux au trois est l'autre caractéristique qui marque le plus le processus de la médiation. Il va imposer de se démarquer de la représentation, la prise de partie, l'identification, l'assistanat. La nécessité de la réalité du tiers explique donc les autres éléments du processus.

La terminologie, utilisée dans le processus de médiation révèle tout un état d'esprit. On ne parle pas de parties, même dans l'hypothèse d'une médiation de conflits, car la notion de partie appartient à une pensée binaire. Elle opère une partition entre des éléments en situation complexe, en particulier elle occulte le fait que les deux éléments sont aussi les partenaires de ce conflit, qu'ils l'ont forgé et qu'ils ont ce conflit en commun (parfois le seul lien qui subsiste). La médiation essaie de sortir du schéma binaire victime-agresseur. Le terme de base est celui de médieurs (plutôt que celui de médiants qui aurait l'avantage insister sur leur rôle actif mais qui désignait autrefois dans la pratique ecclésiastique le médiateur).

b) Les étapes du processus. — Le *déclenchement* de la médiation : il faut préférer les termes de déclenchement ou de demande à celui de saisine du médiateur qui ne convient qu'à la médiation entre des parties à un conflit et qui induirait une conception réduisant la médiation à un mode non juridictionnel des conflits. Ces modes restant comme on l'a vu très imprégnés par le langage et par la mentalité juridictionnels. Plusieurs cas peuvent se présenter. La médiation peut être demandée soit par un seul protagoniste soit par les deux. Dans les deux cas le médiateur doit se faire expliquer soigneusement la situation, faire préciser les attentes, expliquer à son tour en quoi consiste la médiation. Il ne doit jamais oublier cette mise au point sur sa fonction sous peine de malentendu. L'un ou l'autre ou les deux peuvent en effet souhaiter le piéger, lui faire jouer un rôle d'arbitre, ou de juge ou d'expert, ou de thérapeute, ou de conseiller juridique ou conjugal. Le médiateur doit éviter la dérive de la demande.

Dans les deux cas de demande il doit aussi se demander s'il accepte d'être médiateur dans l'affaire présente. La possibilité de refuser une médiation constitue une caractéristique intéressante qui le distingue du juge par exemple. C'est une étape préliminaire décisive. A ce stade du processus le médiateur doit faire preuve de discernement, il doit s'interroger sur lui et sur les demandeurs de médiation. Il doit évaluer ses dispositions psychologiques, ses tensions personnelles. S'il ne se sent pas suffisamment apte il doit refuser. Il peut se sentir trop concerné, et donc suspect de partialité, ou incompétent techniquement quand la médiation demandera des connaissances particulières. Dans ce dernier cas il peut s'adjoindre un spécialiste et faire une comédiation mais doit veiller à ne pas perdre sa liberté face à un détenteur de savoir, qui se comporterait en expert abusif. Il peut aussi penser que la demande de médiation est trouble, et peut conduire à faire accepter insidieusement par un des médieurs une renonciation à ses droits.

Si le médiateur a été demandé par une seule personne, il peut entrer en contact avec la deuxième, lui faire part de la démarche du demandeur, présenter le processus de médiation, tenter de le convaincre de l'intérêt d'un tel procédé. Il ne peut contraindre personne, bien sûr la médiation ne peut jamais être imposée. Elle n'est pas une convocation d'autorité, elle n'est pas le résultat d'une clause compromissoire par laquelle les parties à une convention s'engagent par avance à accepter un arbitrage. Les praticiens agissant en liaison d'autorité utilisent pourtant le terme convocation en « médiation » pénale ! La médiation est un procédé qui repose entièrement sur l'autonomie des participants. Toute contrainte de départ fausse la nature et parasite le résultat du processus de médiation.

Cela n'interdit pas au médiateur de prendre des initiatives, de convaincre les partenaires de la nécessité d'une médiation. Dans la médiation d'urgence c'est même un devoir. Le médiateur crée la dynamique, agit sur la demande de médiation il n'attend pas passivement qu'on s'adresse à lui, il est une force active de proposition et de conviction.

— Une fois le principe de la médiation accepté, le médiateur doit élaborer sa *stratégie* au cas par cas. Il s'interroge par exemple sur la nécessité de voir les personnes concernées, ensemble ou séparément. S'il préfère les voir séparément dans quel ordre va-t-il opérer ? Va-t-il recevoir ou aller voir les partenaires ? Il peut d'ailleurs combiner les figures, commencer par des entretiens séparés puis organiser la réunion, ou l'inverse dans l'ordre qui lui paraîtra convenir à l'espèce. Il n'y a jamais de recette.

Il doit quand il détient un nombre suffisant d'informations se poser la question des causes du conflit. Au-delà des causes exprimées officiellement il en existe souvent d'autres, profondes c'est-à-dire à la fois décisives et enfouies. Il doit faire preuve d'une grande qualité d'écoute, ce qui requiert attention et distanciation. Il doit repérer les mots importants, les traduire explicitement, car à la base des malentendus, il y a les mal-dits, les imprécisions de langage par manque de vocabulaire ou par peur.

A ce stade le processus de la médiation rejoint celui de la maïeutique. Le médiateur doit amener les interlocuteurs à découvrir la part de vérité, comme la part d'erreur ainsi que les éléments de solution qu'ils portent en eux sans toujours le savoir ou sans pouvoir le dire. Souvent aussi d'importants déplacements, se produisent, le conflit n'était pas là où on le situait au départ. Sans ce travail il aurait été impossible à résoudre puisque masqué par une mauvaise présentation. L'identification du conflit central donne du jeu au médiateur en vue de l'acheminement vers une solution, car il modifie l'attitude des partenaires. Ils se découvrent, ils ont déjà bougé.

Le travail sur les mots est un élément fondamental, il assure une communication réelle et non un entrecroisement d'affirmations qui utilisent les mêmes termes dans des acceptions souvent incompatibles. Si le médiateur joue bien son rôle les médieurs s'apercevront qu'ils ne mettent pas la même signification dans le mot qui cristallise le conflit (honneur, justice tout particulièrement).

Le médiateur doit profiter de ce moment favorable pour les engager à trouver une solution. Il ne doit pas imposer la sienne. Il contribue à l'émergence d'une solution autonome. Cela n'en fait pas un intermédiaire mou et transparent, mais cela lui interdit de se substituer aux autres. Il doit stimuler leur créativité, il doit donc en avoir lui-même. Parfois il doit rappeler les médieurs à la réalité matérielle ou juridique, il doit avoir les pieds sur terre.

Le médiateur contribue à la rédaction d'un document consignant les engagements réciproques des médieurs ou des conclusions si la simple consignation de celles-ci suffit.

Chaque médiation est unique et incompatible avec une procédure stéréotypée, ou une limite temporelle imposée par une autorité.

L'article 10 du Code de déontologie des médiateurs élaboré par le Centre national de la médiation, donne les grandes lignes du processus de médiation.

2. **Hypothèse sur la nature de la médiation.** — La synthèse des indices présentés conduit à l'hypothèse de la nature conventionnelle de la médiation. Plusieurs raisons supplémentaires le confirment, qu'on la prenne comme une activité ou comme un acte juridique.

La médiation est une activité, une prestation. Or dans notre société il y a deux manières d'accéder à une prestation, le contrat ou le service public. Le service public qu'il soit industriel ou commercial ou bien administratif n'existe pas sans un lien minimum avec les autorités publiques. Or, la médiation pour exister n'a pas besoin de l'initiative d'une autorité publique, elle vient essentiellement de la base.

La médiation comme le contrat est aussi un acte qui requiert la rencontre de deux volontés, celle de l'offre et de la demande. L'existence des médiateurs constituant l'équivalent d'une offre (offre bénévole, libérale, de mise à disposition d'un art dans le cadre d'un emploi, offre professionnelle, occasionnelle, exceptionnelle, permanente). Dans les cas les plus fréquents, les demandeurs de médiation se présentant volontairement, pour se faire expliquer ce qu'est la médiation, puis se décidant à demander l'intervention du médiateur constituent le deuxième élément du processus consensuel. Le médiateur s'interroge lui-même à chaque cas sur son acceptation ou son refus.

La nature contractuelle correspond bien au dynamisme de la médiation à son caractère innovant. De plus le contrat offre à la médiation un cadre juridique cohérent à tous les niveaux nécessaires.

— Dans les relations médiateur-médieurs.

Le principe du consensualisme, clef de voûte du droit des contrats assure l'effectivité de la médiation en garantissant l'autonomie des médieurs. Sans son respect il n'y a ni contrat, ni possibilité psychologique de médiation. Toute altération de ce que le juriste appelle l'animus ici la volonté claire de médier entraîne à la fois la nullité du contrat et l'impossibilité personnelle de médier. Cela disqualifie la plupart des « médiations » pénales. Où est l'animus quand le délinquant a le « choix » entre la poursuite pénale et la « médiation », et quand la victime a le « choix » entre le classement sans suite et la « médiation » ? Il y a place pour une conciliation réaliste, mais pas de médiation.

— Dans les relations entre les médieurs, tant pour recourir à la médiation que pour former et entériner son résultat.

— Dans l'encadrement général de l'activité de médiation. Le contrat d'association entre les médiateurs qui souscrivent à la même déontologie permet d'ériger un ensemble institutionnel complet (adhésion, formation, disposition de locaux, discipline, réflexion sur la pratique et le concept).

La nature contractuelle de la médiation ne la dénature pas puisqu'elle la laisse dans son milieu d'origine, la société civile, tout en donnant des garanties déontologiques. De plus l'article 1108 du Code civil qui pose les 4 conditions de validité des contrats soumet dès le départ la médiation au respect du droit.

B) *Nature de la médiation d'urgence.* — Comment intégrer les cas où le médiateur intervient de sa propre initiative ?

Le recours à la notion de quasi-contrat, définie aux articles 1370 et 1371 du Code civil peut servir de guide.

La gestion d'affaires est de tous les quasi-contrats celui qui correspond le mieux à la médiation d'urgence. L'article 1372 la prévoit : « Lorsque volontairement on gère l'affaire d'autrui. » Il n'est bien sûr pas question d'assimiler purement et simplement la médiation d'urgence à la gestion d'affaire, ne serait-ce que parce que le médiateur ne gère pas un bien matériel en danger, mais il reste intéressant de noter que même en pleine période d'individualisme, le Code civil dès 1804 n'excluait pas ce genre de situation. De plus, la référence au quasi-contrat ne concerne que la phase d'impulsion de la médiation d'urgence. Car bien entendu, le processus de médiation ne s'enclenchera véritablement que lorsque les médieurs y adhéreront. On se retrouvera alors dans le cadre du contrat.

Il reste une question : La médiation peut-elle faire l'objet d'un service public ? La prestation serait-elle la même ? Le service public prestataire pourrait à la rigueur être tiers par rapport à un conflit, mais pourrait-il gommer son pouvoir ? Les médieurs ne se mettraient-ils pas dans une situation de dépendance. Toutes questions d'importance qui doit inciter les pouvoirs publics à une réflexion profonde avant toute initiative.

Chapitre II

LES RÉFÉRENCES
DE LA MÉDIATION

Comme toute activité humaine, la médiation se réfère à un système de valeur. Les références de la médiation sont multiples (philosophiques, morales, politiques) mais cohérentes[1].

I. — Philosophie de la médiation

Toute philosophie repose sur des postulats inspirés de constats. La médiation se réfère à une *philosophie de la connaissance*. Le dépassement grâce au passage au ternaire est à la base du concept philosophique de médiation. Une philosophie de la complexité des phénomènes humains qui engendre une certaine philosophie de leur mode de connaissance.

1. Le sens de la complexité. — A ce stade de l'histoire des connaissances l'apport de la psychologie, de la psychanalyse, de la sociologie de l'histoire permet de prendre la mesure de la complexité des comportements humains. Les situations ne se comprennent qu'en les replaçant dans un ensemble complexe. Le sens de la complexité permet d'abord de comprendre que l'attitude des médieurs peut résulter de composantes qui leur échappent et dont la

1. Le texte de la conférence donnée par J.-F. Six à l'Université de Paix de Namur le 14 juillet 1993 en offre une synthèse ; voir aussi la charte de la Médiation (CNM).

connaissance n'apparaît pas toujours au premier abord. Il permet de saisir que des tensions personnelles proviennent de multi-appartenances, de contremplois, de conflits internes entre des rôles contradictoires tenus par les partenaires. Il permet surtout de prendre ses distances avec la situation actuelle, en la situant dans une perspective complexe, pour mieux la maîtriser. C'est souvent parce que les partenaires s'arc-boutent sur un seul élément, en se masquant les autres que la situation devient inextricable. Le sens du complexe donne du jeu, il permet de dénouer.

2. **La supériorité de la réflexion ternaire.** — Cette supériorité a deux facettes, elle est scientifiquement plus féconde que la pensée binaire, elle présente des aspects moraux.

A) *Les faiblesses scientifiques de la pensée binaire.* — La pensée binaire enferme dans une alternative limitée, le vrai le faux, le bien le mal. Elle bride *a priori* les possibilités de l'imagination d'un ailleurs, en dehors du 1 ou du 2. Elle trouve son expression dans le principe de logique traditionnelle, le principe du tiers exclu, encore appelé principe du milieu exclu. La méthode thèse-antithèse-synthèse a permis de sortir de l'enfermement.

Dans cette perspective, la médiation est un des concepts majeurs de la philosophie. Pour preuve, elle figure dans tous les dictionnaires de philosophie. Elle y figure comme un concept autonome. Or ce n'est pas le cas des termes (un terme n'est pas une notion) conflits, négociation, conciliation, qui n'y figurent même pas.

Par exemple, la philosophie de Hegel se réfère ouvertement à la médiation. Elle est l'acte de négation et de dépassement à la fois qui établit le lien entre le sujet et l'objet, le temps et l'éternité, le fini et l'infini (*Phénoménologie de l'esprit,* 1807, préf. I). Dans la *Raison dans l'histoire* (chap. 2, § 1) il la situe dans la nature de l'homme : « En tant qu'esprit, l'homme n'est pas immédiat mais essentiellement un être qui retourne à soi. » Ce mouvement de médiation est un moment essentiel de l'Esprit. Son activité consiste à sortir de l'immédiateté, à la nier et à revenir ainsi à soi. Niel résume le rôle de la médiation dans la pensée de Hegel : « Après avoir dans la *Phénoménologie* ouvert la voie à la médiation psychologique en montrant que la prise de conscience du moi comme sujet enveloppe la présence de l'autre, Hegel conçoit la médiation comme la relation idéale reliant entre eux les différents moments d'un tout ; finalement, il reconnaît en elle l'expression de l'identité entre la logique et l'histoire. »

D'autres penseurs se réfèrent à la médiation. Ainsi pour Lavelle « nul ne réalise sa propre vie tout seul, mais seulement par la médiation des autres hommes » (*Dialectique du monde sensible,* 1922). Le Senne y voit le moteur de la pensée conceptuelle (*Obstacle et valeur,* 1934).

Pourtant sous la double pression du totalitarisme et du langage informatique, la pensée binaire née en Grèce cinq siècles avant Jésus-Christ avec Platon revient en force. Dans les *Mystères de la Trinité* (D. Robert-Dufour, 1991, Gallimard, 464 p.) retrace l'itinéraire et expose les dangers de la « domination absolue du binaire ». La réaction est « une question d'urgence » (p. 9).

B) *La pensée ternaire humanise l'homme.* — Pour P. Ricœur, l'éthique est en soi ternaire, le triangle de base de l'éthique est formé par l'estime de soi, la sollicitude pour autrui, les institutions justes. La supériorité d'une réflexion ternaire par rapport à une pensée binaire est qu'elle humanise l'homme. On en perçoit les effets au XIIᵉ avec l'apparition du purgatoire qui permet à l'humanité d'imaginer un moyen terme entre l'enfer et le paradis. La notion d'intermédiaire a été capitale, elle a en particulier permis une humanisation de la justice (J. Le Goff, *Rev. Arts,* décembre 1991, p. 12). De plus la pensée trinaire permet d'accepter l'autre et la différence en général. « La victoire automatique de la pensée binaire » (Dufour, p. 462) ferait perdre ces acquis.

II. — Les références morales de la médiation

Une philosophie de la connaissance introduisant le ternaire avait des conséquences éthiques en soi. Mais, en plus de ce point de départ, il y a une réelle éthique de la médiation.

1. **L'éthique de la communication.** — A la base le fait que la communication suppose la reconnaissance de l'autre à peine de perdre tout sens. L'émission du message n'a de sens que si l'émetteur reconnaît une valeur au récepteur.

L'éthique de la discussion. — Ce fondement de la médiation est beaucoup moins restreint que le conflit en tant que fondement de la médiation. Il peut y avoir médiation sans conflit, par nécessité de dialogue, par humanité. La médiation se réfère donc à Habermas qui fait une large place à « l'éthique de la discussion » et refuse de l'opposer à l'autorité, car la discussion n'affaiblit pas l'autorité, elle peut même la rendre efficace. La discussion repose sur la reconnaissance de la valeur de l'autre, sans conduire à nier d'éventuelles oppositions, elle ne présume pas non plus l'impossibilité d'aboutir à la découverte de valeur(s) commune(s) que l'absence de dialogue avait enfouie(s). La formule « on ne peut pas discuter » est une des plus désespérantes et une des plus négatives qui soit.

2. **La morale postmoderne.** — Les conceptions traditionnelles de la morale aristotélicienne, de la morale kantienne ont subi des défis sans précédent, comme les chocs provoqués par les atrocités des guerres modernes. Les termes utilisés par les philosophes contemporains montrent qu'ils souhaitent compléter la morale traditionnelle pour tenir compte de la barbarie moderne. Particulièrement évocateur est le titre choisi par A. Glucksmann *Le onzième commandement* : que rien d'inhumain ne nous soit étranger.

Il en est sorti une morale postmoderne que Ricœur nomme une « supra-éthique » qui ne renie pas les grandes morales traditionnelles mais la complète par le sens du singulier des situations, la sollicitude, une sagesse pratique. La médiation s'applique à cela au quotidien. Les dangers de l'exclusion réactivent cette morale, René Lenoir en témoignait dans un séminaire à l'Institut de formation à la médiation en juin 1990, les termes de son article dans *Le Monde* « La nation en danger » (9 juillet 1993) le disent aussi clairement (voir aussi A. Touraine, Face à l'exclusion, *Esprit,* février 1991, p. 7 et s.).

— L'éthique de la responsabilité : exposée par R. Simon, j'ai à répondre d'autrui (*Ethique de la responsabilité,* Paris, Cerf, 1993) correspond à ce mouvement. Elle fonde aussi la médiation d'urgence. On peut y voir un « devoir d'ingérence » à personnes en danger, ce que redécouvre le droit international.

3. La valeur positive des conflits. — L'aspect éthique de ce postulat se comprend surtout quand on évalue les conséquences des systèmes qui veulent nier les conflits. La formulation la plus nette revient à H. Arendt : « C'est le propre de la pensée totalitaire de concevoir une fin des conflits » (*Penser l'événement,* Paris, Belin, 1989). Mal traité, mal géré, le conflit peut devenir destructeur, mais sa survenance résulte de la liberté de l'homme et du caractère imprévisible qu'elle communique à ses actes. Le fusionnel, qu'il soit dans l'amour, la fraternité, ou l'harmonie politique, réduit l'homme et ne lui permet pas d'évoluer. Le conflit fait partie du processus de développement (v. A. Touraine, *Encyclopoedia Universalis,* art. « Conflits sociaux », p. 865). Dans une autre famille de pensée J. Freund avait mis en lumière la valeur positive des conflits (*Sociologie du conflit,* PUF, 1983).

Ainsi, si les conflits ne servent pas à définir la médiation (v. *supra,* chap. 1), lorsque la médiation sert à les résoudre, elle les perçoit d'une manière propre. Les références philosophiques de la médiation conduisent à reconnaître la valeur positive des conflits. Ils font partie de la complexité inhérente aux phénomènes humains, la négation du conflit est la négation de l'humain. On pourrait déceler une certaine peur du conflit dans la recherche d'une justice douce, dans la crainte de la recherche quelquefois artificielle d'une solution acceptée qui ne fera ni gagnant, ni perdant.

Cette crainte peut aboutir à faire adhérer le perdant à une défaite que personne ne voudra voir. Dès qu'on ne réfléchit plus sur les conflits uniquement pour les proscrire certaines finesses apparaissent : les personnes impliquées sont-elles partenaires ou parties ? La complexité des relations de conflits apparaissant permet alors de déjouer certains jeux subtils.

III. — Les références juridiques et politiques de la médiation

1. **Les droits de l'homme.** — Les droits de l'homme fournissent à la médiation un cadre juridique particulièrement fort aussi bien la Déclaration de 1789 que la Déclaration universelle de 1948. L'article 1 de la Déclaration universelle fait de la dignité, le fondement des droits de l'homme.

Les droits de l'homme reposent sur des principes particulièrement mis en avant par le Conseil de l'Europe. Dans la conférence inaugurale du DEA d'éthique médicale de l'Université de Paris V, le 17 janvier 1994, Peter Leupretch, secrétaire général adjoint du Conseil de l'Europe, directeur des droits de l'homme énonçait : « L'universalité des droits de l'homme qui résulte de l'égale dignité des individus ; l'indivisibilité : les droits de l'homme forment un tout, qu'ils soient politiques ou sociaux, c'est quand tous les droits sont réunis que l'homme peut vivre dans la dignité. La solidarité, défense collective et solidaire des droits de l'autre. C'est dans la rencontre de l'altérité que nous rencontrons l'humain. » La médiation se réfère tout particulièrement à la solidarité et à l'altérité (voir aussi Droits de l'homme et médiation, J.-F. Six, in *Les droits de l'homme en questions,* Commission nationale consultative des droits de l'homme, La Documentation française, 1989, p. 333 et s.).

Faut-il sourire de ces principes en raison du décalage avec la réalité et les mœurs ? Les temps sont, il est vrai, au repli (Jean Stoetzel, *Les valeurs du temps présent : une enquête européenne,* CNRS, 1981). C'est un débat de philosophie du droit que Michel Villey avait tranché en déclarant que les droits de l'homme sont inopérants. On peut aussi au contraire y voir une raison supplémentaire de souhaiter le développement de la médiation tant sont grands les risques de rupture de la cohésion sociale en situation de crise durable. Dans quel camps se trouve le réalisme ?

2. **Les références politiques.** — La médiation au quotidien suppose une attitude citoyenne concernant la place de l'individu dans la société, le politique dans son essence.

A) *Les limites de la démocratie classique font l'objet d'études nombreuses.* — La médiation peut à sa manière contribuer à en combler les lacunes sans en remettre en cause les acquis. Marcel Gauchet (*La Révolution des droits de l'homme,* Gallimard, 1989) remarquait un des paradoxes de la déclaration qui plaçait la société civile dans la dépendance de l'Etat, par son incapacité à la dissocier de ce dernier. La médiation a pour l'instant une existence indépendante de l'Etat grâce à son dynamisme civique. En échappant à l'emprise de l'Etat elle constitue un creuset d'évolution.

La médiation ne peut-elle pas contribuer à la démocratie du troisième type qu'A. Touraine appelle de ses vœux ? Elle pourrait permettre la « reconnaissance de l'autre et la communication culturelle » qui doit suivre la phase de conquête des droits civiques et l'instauration de la justice sociale (*Qu'est-ce que la démocratie,* Fayard, 1994, 298 p.).

Le besoin de solidarité si difficile à satisfaire d'en haut, parce que les institutions ne peuvent tout faire, et « parce qu'il n'existe pas d'instance spécifique chargée de les satisfaire » (N. Lechner, *Rev. internationale des sc. soc.,* n° 129, août 1991, Unesco « Repenser la Démocratie ») relève d'initiatives civiques.

B) *La rentabilité de la médiation.* — Bien que la résolution des conflits ne constitue qu'une des branches de la médiation et qu'elle n'obéisse pas à des considérations managériales sa rentabilité politique (économique et sociale) n'est pas négligeable. Les conflits ont une valeur positive, ils ont aussi un coût. Leur mauvaise résolution ruine une société au sens économique et humain du terme.

Chapitre III

LE RÉGIME JURIDIQUE
DE LA MÉDIATION

Une réflexion préliminaire sur les rapports entre droit et médiation donnera le cadre du régime juridique de la médiation et des indications sur ses bases juridiques. Il faut à la suite du doyen Carbonnier penser le droit avec le social, et refuser d'enfermer l'étude de la médiation dans un strict positivisme juridique qui ne permettrait pas de la saisir dans sa totalité.

I. — Droit et médiation

Sans épuiser le sujet des rapports entre la médiation et le droit il semble utile de fournir quelques éléments de réflexion.

(Pour une approche différente car reposant sur une définition de la médiation écartée dans cet ouvrage v. E. Le Roy, Les pratiques de médiation et le droit : spécificité de la problématique française contemporaine, *Annales de Vaucresson,* 1988, n° 29, p. 63 et s.)

1. **Le respect du droit par la médiation.** — Le droit encadre la médiation, la médiation doit respecter le droit, comme toute activité humaine. Cela se comprend d'autant mieux que la médiation vient de la base alors que le droit vient du haut. Entre la médiation et le droit il y a complémentarité et non pas concurrence. Le droit ne peut prétendre remplir tout l'espace social. Selon certains il y aurait un vide juridique en matière de médiation, c'est tout à fait faux. On peut seulement dire qu'il n'y a ni orchestration systématique, ni institutionnalisation

imposée par le haut, ce qui est très différent. Mais le droit des contrats (y compris de la responsabilité contractuelle) et des associations assurent de toute façon, à la médiation un régime juridique cohérent.

Des limites juridiques à la médiation en résultent nécessairement :

La médiation ne peut intervenir que dans des domaines où la justice d'Etat peut ne pas intervenir sans violer les règles d'ordre public. La médiation ne peut se substituer à l'intervention de la justice. C'est pourquoi en matière pénale il vaut mieux parler de conciliation déléguée que de médiation.

La médiation ne peut déboucher sur une solution illégale, quand bien même cette dernière recevrait l'accord des participants à la médiation. Les nullités de protection gardent toute leur pertinence, notamment celles prévues par le droit du travail. Quand la sagesse populaire proclame qu'un mauvais arrangement vaut mieux qu'un bon procès, elle fait fi à la fois de la valeur positive des conflits et du rôle protecteur du droit.

— Autre corollaire les parties à la médiation ne peuvent par un accord de médiation disposer de droits indisponibles. On trouve là un garde-fou particulièrement utile à la médiation familiale qui se déroule dans la sphère de tels droits précisément, l'état des personnes avec ses répercussions sur le droit au nom.

2. **L'impact éventuel de la médiation sur le droit.** — On a pu penser que la médiation allait transformer la nature du droit, cela paraît excessif. Si la médiation peut transformer radicalement les relations interpersonnelles et même au-delà les relations entre les sujets de droit et l'Etat, elle ne semble pas en mesure de changer la nature du droit. Il faut certainement prendre quelque distance avec l'expression « droit négocié » présenté par opposition au droit imposé. Si le droit et la médiation s'exercent dans les mêmes secteurs de l'activité humaine, le droit et la médiation n'évoluent pas dans les mêmes sphères. Le développement de la médiation est peut-être l'indice d'un

changement des mœurs, en particulier d'un changement d'attitude à l'égard de l'Etat, mais il ne semble pas susceptible de changer la nature du droit et de l'Etat. Le croire serait confondre la cause avec la conséquence. Il n'en reste pas moins vrai que le développement de la médiation révèle l'émergence d'un comportement civique nouveau. L'Etat-providence qui a tant empiété sur la société civile (souvent à la demande de celle-ci) affronte une onde qui va en sens inverse par l'action de citoyens voulant contribuer d'une manière non violente et respectueuse des règles de droit à la régulation sociale. Il serait prématuré d'en déduire que le droit, instrument officiel de la régulation sociale, majoritairement produit par l'Etat va de ce fait changer de nature. Il n'en demeure pas moins que certains acteurs judiciaires ressentent une crise de légitimité. Il se pose alors ce qu'Antoine Garapon appelle l'angoissante question « d'un possible évanouissement de l'acte de juger dans la modernité, c'est-à-dire d'un juge qui ne juge plus — malgré les apparences — d'une justice qui a perdu sa fonction de gardienne de la loi » (*Esprit*, novembre 1993, p. 197).

Sur la base de l'ouvrage d'Irène Théry, *Le Démariage* (éd. O. Jacob, 1993, 394 p.), on constate que l'effacement du juge est particulièrement net dans un secteur où la médiation est fortement implantée, celui du divorce. Le législateur de 1975 en voulant dédramatiser le divorce a transformé le rôle du juge. Dans les faits, le juge a réagi en semblant se dérober de plus en plus devant sa tâche de juger. Il « donne le sentiment d'être un puissant sans pouvoir qui délègue aux parties elles-mêmes et à leurs conseils, parfois à un expert, le soin de trouver la décision » (p. 193). Paradoxalement le juge « homme orchestre du divorce investi de tous les rôles n'en joue aucun : ni véritable conciliateur, ni véritable médiateur, ni véritable contrôleur, ni véritable décideur, le juge semble plutôt s'évanouir, disparaître. Au-delà du juge, c'est l'ensemble de la procédure judiciaire qui tend à perdre sa signification » (p. 194). Mais il ne faut pas tirer de conclusion hâtive de l'association chronologique des phénomènes. I. Théry ne le fait d'ailleurs pas, mais elle met en évidence une évolution de la conception du droit dans la sphère de la vie privée. Au droit du principe qui considère que l'intervention du droit garantit à tous les membres de la famille le respect des droits de l'homme jusque dans la sphère de l'intimité, aurait succédé le droit du modèle qui n'intervient qu'en s'alignant sur les mœurs, et qui recherche dans les mœurs le fondement du droit. Il en résulterait une justice se voulant en prise sur le réel et qui ne dit plus le droit mais se réfère à ce que dicte les faits appréciés par les parties ou les experts « entre l'expert qui donne un simple avis et renvoie à la décision du juge, et le juge qui la plupart du temps, lors de l'audience dit qu'il convient d'entériner l'avis que l'expert a émis, le moment du jugement devient insaisissable. Personne n'en assume clairement la responsabilité en fonction de la compétence de fond et la fonction qui est la sienne » (p. 283).

Il ne faudrait pas que la médiation contribue à la généralisation d'une autorégulation mal maîtrisée.

3. Autres remarques.

— Le processus de création du droit est majoritaire (la majorité parlementaire pour l'élaboration de la loi), celui de la médiation suppose l'unanimité. En effet il requiert l'accord de tous les partenaires tant pour exister que pour aboutir.

— Il faut éviter l'opposition simpliste quand on compare le droit et la médiation. Le droit bénéficierait d'une position sociale claire d'une définition incontestée. La médiation serait dans une situation plus floue et vulnérable. D'un côté le sérieux, de l'autre l'innovation suspecte. C'est vrai à première vue et superficiellement. En réalité deux numéros de la *Revue Droits, Revue française de théorie juridique* (nos 10 et 11, 1989, 1990) « définir le droit » ont apporté la démonstration de la quasi-impossibilité de trouver des critères incontestables pour définir le droit.

Ce n'est donc pas en raison de son infériorité conceptuelle que la médiation est soumise au droit mais pour des raisons statutaires.

II. — Les régimes juridiques
de la médiation

La médiation étant un concept autonome a besoin d'un régime juridique qui lui soit propre, le contrat de médiation remplit bien ce rôle. Jusqu'à la loi du 8 février 1995, en revanche les pratiques prétoriennes de « médiation » qui, en l'absence de loi consacrant la médiation judiciaire empruntaient le régime juridique d'autres techniques de règlement des conflits, lui faisaient perdre son autonomie théorique *et par là même* à moyen terme son autonomie dans le cadre de la « justice douce » dessinée par la nébuleuse « médiation-conciliation ».

Les juges fondaient leur recours à la médiation sur des textes permettant une conciliation judiciaire. La « médiation » ainsi favorisée s'apparentait plutôt à une conciliation déléguée. Dans ses grandes lignes elle empruntait le régime juridique de la conciliation originellement prévue par le texte visé par le juge. Les emprunts aux bases juridiques de la conciliation concernaient principalement les articles 127 à 131 du Nouveau Code de procédure civile (d'avant 1995), l'ordonnance Rateau de 1974, l'article 290 du Code civil, et 117 NCPC en matière de divorce.

Si la loi du 8 février 1995 apporte une réponse en matière de médiation familiale aux questions que se posait la doctrine (V. Larribeau-Terneyre, Faut-il réglementer la médiation familiale ?, *JCP,* Ed. G, doctrine 1993, n° 3649) et réduit les hypothèses où les juges devront continuer leurs emprunts elle ne confère pas à la médiation un régime juridique original, révélateur d'une nature spécifique. Le régime juridique de la médiation judiciaire l'apparente à la conciliation. Les ressemblances ne résultent plus d'emprunts imposés par l'absence de base législative, mais de la volonté d'un législateur qui s'est contenté de légaliser les pratiques judiciaires en amalgamant dans un chapitre commun « la conciliation et la médiation judiciaires ».

En réalité, il existe comme cela apparaît dans la première partie de cet ouvrage *(v. supra)* deux types bien distincts de médiation :

— la médiation institutionnelle dont le régime juridique résulte des textes qui la fondent. La médiation judiciaire en fait partie ;
— la médiation conventionnelle dont le régime juridique respecte la volonté des partenaires (dans le respect global du droit). Elle a su trouver des solutions spécifiques.

1. **Le régime juridique de la médiation judiciaire.** — La loi du 8 février 1995 sur la « médiation » judiciaire ne lui a pas vraiment donné un fondement juridique propre. Il en résulte un régime juridique assez proche de celui de la conciliation. Ironiquement les justiciables distinguent une différence de régime essentielle : la gratuité de la conciliation et le caractère payant de la médiation. La loi reproduit souvent à l'identitque les dispositions relatives à la médiation et à la conciliation. L'article 2 du décret du 22 juillet 1996 insère dans le NCPC un titre VI *bis* « La médiation » qui regroupe les articles 131-1 à 131-15.

La médiation est d'application générale, elle concerne toutes les juridictions y compris le juge des référés (art. 131-1, al. 2).

Le juge maîtrise la médiation judiciaire, s'il doit obtenir l'accord des parties, son ordonnance en fixe l'étendue (tout ou partie du litige) la durée qui ne peut excéder trois mois, sauf à être renouvelé pour la même durée à la demande exclusive du médiateur. Il désigne le médiateur, par définition un tiers, personne physique ou association (art. 131-4, al. 1). Il fixe aussi le montant de la provision couvrant approximativement la rémunération finale du médiateur.

En aucun cas la décision qui ordonne la médiation ne dessaisit le juge qui peut à tout moment prendre les mesures nécessaires (art. 131-2), ou mettre fin à la médiation. Il poursuivra alors l'instance (art. 131-10, al. 3). La décision ordonnant ou renouvelant la médiation ou y mettant fin est insusceptible d'appel (art. 131-15). Le juge contrôle la médiation en permanence. Le médiateur doit en effet l'informer des difficultés qu'il rencontre dans l'accomplissement de sa mission.

A l'expiration de sa mission le médiateur informe le juge de son issue. En cas d'accord, le juge peut l'homologuer à la demande des parties (art. 131-12) ce qui relève de la matière gracieuse (art. 131-13, al. 2).

Pour éviter toute dérive qui aboutirait à une délégation, le décret du 22 juillet 1996 prévoit quelques précautions (art. 131-8, al. 1), mais permet cependant au médiateur d'entendre des tiers avec l'accord exprès des parties. L'article 131-14 prévoit un garde-fou contre l'utilisation ultérieure des éléments de la médiation en cas d'échec de celle-ci.

La médiation judiciaire assouplit certes le déroulement classique des procédures mais, en compensation, elle reçoit un encadrement institutionnel.

En revanche l'utilisation par la médiation conventionnelle du régime juridique du contrat en préserve la spécificité.

2. **Les institutions spécifiques de la médiation.** — Il s'agit des institutions qui ne concernent que la médiation. Elles sont toutes exclusivement d'origine associative et conformes à la nature contractuelle de la médiation. Le contrat est bien sûr un moule très général, mais le *contrat de médiation,* la concerne par définition. Les *associations de médiateurs* constituent un autre élément spécifique des institutions de la médiation. Il est impossible de donner un inventaire exhaustif des associations de médiateurs. Il est aussi impossible de présenter le système de financement de la médiation. Les associations jalouses de leur indépendance vivent des cotisations de leurs adhérents et de la participation financière des médiants lorsqu'ils recourent aux services de l'association. Certaines au contraire ne redoutent pas les fonds publics et reçoivent soit des subventions globales, soit des rémunérations à l'acte. Dans la note d'orientation précitée d'octobre 1992, la chancellerie expose les grandes lignes du financement sur frais de justice de la médiation pénale (p. 12 et 13) et le système de vacation s'inspire du contrôle judiciaire, certaines associations sont conventionnées.

A) *Fondement de la déontologie de la médiation.* — Actuellement la déontologie de la médiation repose sur une autorégulation, au centre de laquelle figure le contrat d'association. Les associations de médiateurs sur la base de l'exemple donné par le Centre national de la médiation (CNM) adoptent un Code de déontologie applicable à leurs adhérents. Souvent il ne s'applique qu'à un type de médiation, au secteur d'activité de l'association qui l'adopte (médiation familiale, pour les associations de médiation familiale). En revanche, le Code de déontologie du CNM est d'application générale conformément à la vocation du CNM.

En s'abstenant de réglementer en détail la médiation les pouvoirs publics n'agissent pas d'une manière exceptionnelle, ils respectent la profession de journalistes, ou les psychanalystes en les laissant s'organiser. D'autant que l'autorégulation ne signifie pas le laisser-aller. L'association auteur du Code de déontologie peut prévoir toute une gamme de sanctions pouvant aller jusqu'à l'exclusion.

B) *Le contenu de la déontologie*. — Le Code de déontologie du CNM en donnera une idée. Pourquoi celui-là ? Parce que c'était le premier et qu'il a souvent servi de modèle. Il contient les principaux éléments de la déontologie des médiateurs : l'indépendance (art. 6), la neutralité (art. 7), la confidentialité (art. 8).

Chapitre IV

LES DANGERS
DE LA MÉDIATION

A ce stade de son développement, l'évaluation des dangers de la médiation fait partie de sa théorie, car c'est très largement un exercice prospectif. Les dangers de la médiation sont à double sens il y a ceux qu'elle court, ceux qu'elle fait courir.

I. — Tableau général

A) *Les dangers et leurs raisons.* — Le danger de syncrétisme est le premier danger qui menace la médiation, on l'a vu opérer dans la première partie, il contient un germe mortel pour la médiation *stricto sensu.* La prolifération de pratiques hétérogènes se réclamant de la médiation témoigne plus d'un besoin vital de médiation que de sa vitalité. Les raisons de la négligence conceptuelle et de l'utilisation intempestive qui affectent la médiation sont mutliples. Elles vont de la volonté politique d'agir vite, qui altère les méthodes de travail gouvernemental, jointe à un goût de la facilité à laquelle la médiation se prête involontairement, grâce à sa seule image innovante elle permet des réformes à coût nul. Plus prosaïquement aussi, la médiation devient un marché disputé, qui rend le titre de médiateur enviable.

Lié au précédent le danger de discrédit de la médiation *stricto sensu* par l'abus des pratiques s'en réclamant guette la médiation si une prise de conscience salutaire n'intervient pas. Il semble qu'il y ait plus de paresse intellectuelle que de malhonnêteté dans l'utilisation mal à propos du terme médiation. Il n'en demeure pas moins que le besoin de se faire appeler médiateur quand on fait une œuvre utile mais pas de la médiation révèle peut-être une sorte de bovarisme professionnel.

Le danger d'un financement en dent de scie guette la médiation qui se place dans la mouvance des pouvoirs publics. Il y a lieu de méditer les aléas des programmes publics de médiation aux Etats-Unis évoqués plus haut. Pour citer un exemple extérieur à la médiation celui des conciliateurs donne aussi à réfléchir.

A signaler aussi le danger d'indifférence, ou d'apathie qui risquerait de réduire les acteurs de la médiation à un nombre infime. Faute de moteur civique la médiation tomberait dans le giron d'un service public d'assistance. En France, où le syndrome de l'Etat-providence est quand même très fort, bon nombre de citoyens non seulement attendent tout de l'Etat, mais se méfient de ce qui n'en provient pas. Les structures mentales nationales pèseront très lourd sur l'avenir de la médiation.

La question de la formation des médiateurs est préoccupante. Il existe une telle différence entre les entraînements à la médiation qui font des médiateurs en cinq jours et les formations en deux ans qui se développent maintenant à partir de l'exemple de l'Institut de formation à la médiation. Lorsque les pouvoirs publics ont recours à des « médiateurs » ils ignorent en général la formation suivie par eux. La qualité de juriste en retraite, ou d'assistante sociale suffit le plus souvent à obtenir la confiance. Or l'exercice de la médiation requiert des qualités solides qu'on ne possède pas de manière innée et des médiateurs mal formés sont réellement dangereux.

B) *Les indices d'évolution.* — Une évolution très récente des esprits se perçoit cependant. Certes elle ne fait pas disparaître les principaux dangers qui menacent la médiation, tant restent puissantes les raisons de la négligence théorique qui entourent la médiation et qui alimentent son utilisation intempestive. Elle permet cependant des discussions de plus en plus constructives. En effet si les querelles de définition n'ont pas disparu, un accord se fait sur l'existence et l'identification de critères incompressibles sans lesquels on ne peut pas parler de médiation :

— la médiation requiert un tiers, sans pouvoir, neutre, indépendant ;
— la médiation a une mission spécifique ;
— elle utilise un processus plutôt qu'une procédure.

Sur la base d'un accord aussi limité, il devient possible de rendre sensibles les failles de divers dispositifs de médiation institutionnelle :

a) La plupart des médiateurs institutionnels ne sont ni tiers, ni indépendant, ni surtout sans pouvoir. Ainsi le Médiateur de la République, qui comme l'administration appartient au pouvoir exécutif alors qu'il intervient entre l'administration et les administrés n'est pas un tiers. Ainsi le médiateur du cinéma doté de pouvoir d'injonction n'est pas dépourvu de pouvoir. Plus subtilement il y a le pouvoir induit et la dépendance de fait des associations qui fonctionnent dans la sphère des pouvoirs publics, dans des locaux publics et qui convoquent en médiation en utilisant le papier à en-tête de l'institution pour laquelle elles agissent.

b) La plupart des médiateurs institutionnels ont pour unique mission la conciliation. — Le terme médiation ne figure à aucun moment dans les textes qui les instituent.

c) La plupart des médiateurs institutionnels n'utilisent pas le processus de médiation. — Les textes qui les instituent leur imposent une procédure. Or toute procédure assouplie ou informelle ne constitue pas un processus de médiation (v. 38, 2, Illustration).

La conscience de ces failles affleure maintenant dans l'esprit des praticiens de la médiation, qui pourraient donc devenir plus vigilants à l'égard des autorités qui les utilisent.

II. — Un exemple de danger à double sens, les rapports entre la justice et la médiation

Si le terme de justice bénéficie d'une image nette, il en va différemment de la médiation. La prolifération des pratiques s'en réclamant a engendré un flou terminologique à la fois commode et gênant. Commode, à courte vue, pour ceux qui veulent parer la moindre de leur innovation sociale de cette appellation flatteuse. Gênant car le même terme ne peut recouvrir des pratiques hétérogènes au point d'être incompatibles, sans que son contenu ne s'en trouve à moyen terme menacé. Comme toujours le flou terminologique débouche un jour ou l'autre sur une épreuve de vérité. *La rencontre entre la justice et la médiation en est une.* L'empirisme des relations que la médiation entretient actuellement avec la justice, en efface sa spécificité et donc menace son existence. Mais la médiation n'est pas seule en danger.

Les juges ont vu apparaître le phénomène avec des attitudes différentes : indifférence, curiosité, hostilité, pragmatisme. Des relations se sont établies entre la justice et ce qu'on qualifie de médiation. Elles déclenchent de part et d'autres des réactions mitigées. Cela n'a rien d'étonnant dans la mesure où la justice et la médiation présentent des différences de nature et donc de régime considérables alors qu'elles doivent se côtoyer sans une réflexion préalable sur les précautions que de telles différences nécessitent. Il serait temps après ce *happening* juridique de dégager les grandes lignes de relations respectant à la fois la justice et la médiation.

A) *A leur différence de nature doivent correspondre des différences de régime.* — Par leurs origines et leurs raisons d'être différentes, justice et médiation sont de natures différentes. La justice et la médiation ont des *raisons d'être différentes.* Les propagateurs et les utilisateurs de la médiation en attendent des caractéristiques telles que la proximité, l'originalité, la souplesse, la rapidité, la participation, l'absence de solennité qui dans certains cas la rende préférable à des solutions institutionnelles. La justice, mue par un principe différent, institutionnalisée au plus haut niveau, dotée d'un statut particulier ne peut, ni ne doit *par nature* se conformer à toutes ces attentes. Il faut garder cela à l'esprit, car, comme l'a enseigné Montesquieu, privées de leur principe les créations sociales déclinent. La justice et la médiation correspondent à des raisons d'être si différentes qu'elles doivent préserver les différences de régime que leur différence de nature a engendrées.

— Leur différence de nature, fondamentale tient à leur degré d'institutionnalisation *originel*. Si la justice fut à l'origine privée, elle figure maintenant parmi les institutions publiques. La Constitution de la Ve République lui consacre son titre 8. La médiation est un phénomène civique surgi spontanément de la société civile. Elle se nourrit du besoin de communication, d'insertion et de participation des individus et des groupes. *La justice vient d'en haut, la médiation surgit de la base* en dehors de toutre orchestration publique et de toute institutionnalisation. La justice est par excellence une mission de *souveraineté*, insusceptible de privatisation.

Dès lors des différences de régime s'ensuivent :

— Justice et médiation entretiennent des rapports différents avec le droit. Les juridictions judiciaires tranchent les litiges selon une procédure juridique et des règles de droit. Les médiateurs ne tranchent rien, ils tentent d'établir ou de rétablir une communication entre les partenaires d'un conflit (pour se limiter à la médiation de conflit) sans chercher à dire le droit mais simplement en le respectant.

— Ce qui se manifeste par des statuts radicalement différents. A commencer par les différences de situation juridique entre les magistrats et les médiateurs. Les magistrats sont investis par l'Etat de la mission solennelle de rendre la justice au nom du peuple français. Ils reçoivent pour cela une formation nationale et consacrée par l'Etat. Aujourd'hui les médiateurs (quand ils ont fait l'effort d'une formation spécifique) ne sont pas nécessairement juristes. Ils se prévalent le plus souvent d'une légitimité associative, parfois individuelle. Si la médiation a les mêmes champs d'action que la justice, elle n'a pas la même organisation. Son implantation dépend du tissu associatif. Les justiciables acquièrent en entrant en contact avec la justice un statut légal et réglementaire, alors que les médiants et les médiateurs établissent des rapports contractuels.

Les interventions législatives de 1993, instaurant la médiation pénale, et de 1995, instaurant la médiation judiciaire ont bouleversé ces données naturelles de base.

B) *De telles différences imposeraient un type de rapports précis.* — Or, on a fonctionné jusqu'en 1993-1995 selon un empirisme imprudent et pour le moins faussement réaliste, et depuis 1993-1995 en figeant législativement les mauvaises habitudes ainsi acquises. Le prétendu réalisme est souvent la pire des naïvetés. Actuellement, le raisonnement suivant, prévaut le plus souvent : faisons, peu importe le terme, à quoi sert de réfléchir quand il y a un tel besoin de médiation ? Pourtant, les rapports actuels entre la justice et la médiation ont pris une tournure qui maintenant ne gêne plus uniquement les faiseurs de système, mais qui laissent sceptiques de nombreux magistrats et certaines associations de médiateurs qui souffrent d'atteinte à leur indépendance. En effet, à long terme ils ruinent la médiation et ne peuvent servir la justice, car la différence de nature entre la médiation et la justice est telle qu'elle impose un type de rapports précis si chacun veut garder son image intacte. Justice et médiation ne peuvent se compléter que si chacune reste elle-même.

L'empirisme des rapports initiaux ne respectait pas cette distance. Il se manifestait dans le contrôle spontanément exercé par les magistrats à l'égard de la médiation. Pour de nombreux magistrats, la médiation devait s'exercer sous le contrôle étroit de la justice « dans la main de la justice » ont dit certains. Les lois instaurant la médiation pénale et judiciaire ont-elles gommé ces tentations. Comme avant, le juge choisit le médiateur, lui impose un délai, parfois il n'hésitait à lui demander des comptes rendus réguliers et précis. Qu'en sera-t-il dans le cadre des nouvelles lois ?

L'application de la plus ancienne des deux indique déjà des tendances lourdes. Les parquets qui pratiquent la « médiation » pénale établissent avec les associations consentantes des protocoles qu'ils rédigent en grande partie et prévoyant à la charge des associations des précautions très contraignantes pour éviter la dépossession du juge. Parfois même, ils imposent ou interdisent certains points du statut des associations agréées. Certains magistrats du parquet pratiquent la « médiation » eux-mêmes (c'est-à-dire une « médiation » sans intermédiaire !) pour plus de garantie.

— Incontestablement, les juges ne peuvent pas faire autrement surtout en matière pénale. Ils ont reçu une mission de souveraineté, ils doivent en maîtriser l'exercice. On comprend que même s'ils cherchent de meilleures solutions aux petits litiges ils aient à cœur d'exercer leurs responsabilités statutaires et qu'ils ne s'en déchargent pas. La logique de l'appareil judiciaire transforme naturellement et inexorablement les médiateurs en conciliateurs. Ses partenaires (INAVEM, CLCJ par ex.) qui font très certainement œuvre utile, c'est incontestable, devraient prêter attention à ce danger. L'auxiliariat ne présente pas que des avantages. Quant à la justice en prenant pour « innover » toujours le même type de partenaires, elle reproduit les mêmes schémas et perd toutes chances de réelle évolution.

Si la pratique de la conciliation pénale n'est en rien critiquable, en revanche il convient de critiquer nettement l'emploi du terme de médiation pour la qualifier.

C) *Les dangers d'un manque de respect réciproque.* — A fonctionner empiriquement sans trop regarder au terme employé, dans la pratique comme dans la loi, on voit bien ce que la « médiation » croit y gagner et ce qu'elle y perd. On peut aussi réfléchir à ce que la justice croit y gagner et à ce qu'elle peut perdre. Le système actuel d'imprécision conceptuelle présente-t-il des avantages ? Quel type de garantie y trouve le juge et le justiciable ? Actuellement les parquets n'ont guère le choix, ils traitent avec les partenaires qui acceptent leurs conditions. Sont-ils les meilleurs, sont-ils même médiateurs, les juges savent-ils comment ils sont formés, et même s'ils le sont ? Pourtant ils seront rémunérés grâce à la désignation du juge et présentés au justiciable avec la garantie de l'Etat en quelque sorte. Or il n'y a pas de garantie sans responsabilité financière, civile ou morale. La justice risque d'avoir à payer le prix. Quant aux « médiateurs », ils finiront par être perçus comme des auxiliaires de la justice, ce qu'ils sont d'ailleurs dans l'esprit du juge aussi si on se réfère aux propos explicites de M. Viout, avocat général à la cour d'appel de Lyon, lors du colloque organisé par l'ARESO à Chambéry le 24 mars 1994 : « Les associations ont accepté d'être le bras séculier du parquet » (actes du colloque, p. 35). Les insatisfactions que pourrait causer la médiation pénale ne manqueront pas de rejaillir sur la justice. La justice peut y perdre en netteté et en crédibilité.

— La justice peut perdre sa netteté. Parler de justice juste n'est qu'une apparente lapalissade qui s'oppose à la justice douce, ce que Jean-François Six appelle la justice *canada-dry,* rendue floue par un usage reposant sur une mauvaise compréhension de la médiation.

La justice et la médiation *stricto sensu* doivent se démarquer soigneusement l'une de l'autre. Ce dont a besoin la justice ce n'est pas de médiateurs, mais de conciliateurs acceptant un rôle d'auxiliaires de justice. La réflexion sur la médiation conduit à souhaiter un certain éloignement entre la justice et la médiation. Ni concurrence ni subordination, mais complémentarité. La médiation illustre bien le principe de subsidiarité qui préconise de laisser s'exercer une compétence au niveau optimum pour elle. Ce principe qui protège la compétence des échelons inférieurs profite aussi à y regarder de plus près aux échelons supérieurs. La médiation émerge de la société civile, la société civile est le niveau optimum pour son exercice.

La justice de demain si elle voulait s'annexer, la médiation en serait bien alourdie et bien floue.

III. — Un autre danger
la médiation d'assistance publique

L'engouement pour la médiation fait craindre sa récupération dans le cadre d'un vaste service public d'assistance floue. On en voit poindre quelques velléités. Les bonnes volontés exprimées par les fonctionnaires participant au colloque organisé par la Fédération générale autonome des fonctionnaires le 16 décembre 1992 (*Les Échos de la fonction publique,* n° 167) partent d'un souci estimable mais portent en elles les germes d'un service public protéiforme qui présenterait plus de risques ou de faux avantages que d'avantages réels.

1. **Le danger de dénaturation.** — La situation de l'usager d'un service public, est-elle compatible avec l'autonomie que requiert le processus de médiation ? Les prérogatives de puissance publiques que détiennent les services publics auraient tendance à induire ou à renforcer soit la passivité soit l'agressivité infantile peu propices à une démarche active.

Si comme le rappelait Mme Beau, magistrat à l'origine des expériences de conciliation pénale *(supra),* « l'assistance est la forme la plus subtile de la violation des droits de l'homme » (*Les Nouvelles d'Alsace,* 28 mai 1994), elle est aussi un des pires dangers de la médiation. A être pratiquée en service public dans une intention d'assistance aux individus la médiation court un danger de dénaturation.

— Dans l'hypothèse d'un service public de médiation, le médiateur serait un fonctionnaire. Le statut de la fonction publique convient-il à la médiation ?

Il faut relever en outre que le fonctionnaire, faisant partie de l'administration ne pourra jamais être médiateur entre un particulier et celle-ci. Par définition les fonctionnaires ne sont pas des *tiers,* mais des parties prenantes dans les relations administrations/administrés. Ils peuvent être animés d'un souci de compromis, de conciliation, d'humanisation, de communication optimum, mais la médiation leur est statutairement impossible.

2. **Les faux avantages.** — A supposer qu'un service public puisse faire de la médiation, celle-ci offrirait-elle aux médieurs des garanties sérieuses de qualité ?

En l'état actuel des choses certainement pas et particulièrement sur deux aspects.

A) *La qualité des médiateurs.* — Les pouvoirs publics ne disposent ni d'une définition de la médiation ni d'une formation des médiateurs. Pour l'instant ils s'adressent au coup par coup à leurs partenaires habituels. Bon nombre de magistrats prennent uniquement d'anciens magistrats, les autres autorités publiques s'adressent souvent à des travailleurs sociaux. Leur formation à la médiation est rarement dans les deux cas un préalable considéré comme indispensable.

Le nombre des travailleurs sociaux ne permet d'ailleurs, pas d'envisager dans un avenir prochain qu'ils reçoivent tous une sérieuse formation à la médiation. L'étude demandée par le ministère de la Santé et rendue publique le 22 mars 1993 montre qu'il a augmenté de 16 % entre 1982 et 1991, il recense 36 000 assistants des services sociaux diplômés d'Etat (mais non formés à la médiation). Le malaise de certains secteurs de la profession peut nourrir chez les travailleurs sociaux l'envie de chercher dans la qualification à la mode, médiateur un réconfort artificiel. Le seul fait d'être intermédiaire entre l'enclume et le marteau ne rend pas médiateur.

B) *La déontologie des « médiateurs ».* — Dans le cadre d'un service public, les médiateurs ne pourraient assurer aux médieurs une confidentialité satisfaisante. Les tiraillements entre le statut de fonctionnaire et la déontologie des médiateurs privent les médieurs de certaines garanties. Les mêmes contraintes pèsent d'ailleurs sur les auxiliaires de justice comme l'a rappelé le 12 juillet 1994 un arrêt de la cour d'appel d'Angers en ne retenant pas le secret professionnel invoqué par le psychiatre de l'équipe éducative d'une association d'aide à l'enfance et pourtant admis par l'avocat général : « Considérant qu'il ne pouvait s'appliquer dans le cas d'un médecin exerçant dans le cadre d'un mandat de justice. »

Par transposition on peut supposer que le « médiateur » exerçant dans le cadre d'un service public classique ou d'un mandat de justice, pourrait sans doute être contraint de dévoiler les révélations d'un médieur trop confiant. Faute de jurisprudence ou de texte il est trop tôt pour connaître le degré de confidentialité que les médiateurs exerçant hors d'un service public pourront assurer aux médieurs, mais l'exemple des médecins libéraux, des avocats, des journalistes montre que l'Etat sait faire preuve de respect.

3. **Les dangers pour les pouvoirs publics.**

A) *L'aventure.* — L'instauration d'un service public de médiation engagerait les pouvoirs publics qui s'y aventureraient dans une situation difficilement maîtrisable et inédite, le « SPONI » le service public à objet non identifié. Tant que les pouvoirs publics n'auront pas de définition de la médiation ils courent un grand risque en s'y essayant.

En second lieu, cette aventure les amèneraient sur un terrain dangereux pour leur nature démocratique : la médiation touche souvent à la sphère de l'intime, elle a vocation à remplir les interstices sociaux.

B) *Encombrement.* — Les pouvoirs publics seraient certainement encombrés de cette tâche nouvelles eux qui ne peuvent pas toujours remplir leurs missions principales faute de moyens. Cette remise en place de chacun ne contient aucun désaveu à l'égard des fonctionnaires dont les initiatives individuelles tendent à aider les administrés. Face au désarroi des administrés l'envie d'établir des passerelles se comprend parfaitement. En revanche, toute prétention de l'administration à orchestrer la médiation sous forme de service public semble dangereuse pour sa propre cohérence. Il convient avant tout que l'administration mette ses fonctionnaires dans la situation de faire humainement, ou tout simplement correctement leur travail. Qu'il reste clair que la médiation est une affaire civique mais en aucun cas de service public (autrement dit que l'administration se consacre à ses missions).

La médiation n'est pas une affaire d'Etat, c'est une entreprise civique, pas un service public. A un moment où le discours politique redécouvre les bienfaits du principe de subsidiarité, il faudrait l'appliquer à la médiation. Ce principe d'organisation sociale affirme qu'il faut faire les choses à leur échelon optimum, qui n'est pas forcément l'échelon supérieur. C'est en général l'échelon d'où elles jaillissent, l'échelon le plus proche des intéressés. La médiation est plus l'affaire des associations que des pouvoirs publics. Ainsi une réponse de service public n'est pas forcément rationnelle. Toute satisfaction d'un besoin général n'est pas synonyme de service public.

IV. — Les dangers
d'une solution institutionnelle inadaptée

Il faut réfléchir à la meilleure solution institutionnelle possible, celle qui garantira le sérieux des médiateurs sans permettre aux pouvoirs publics de récupérer un mouvement civique largement né en dehors d'eux et qu'ils tariraient inéluctablement.

La question ne se pose pas pour la « médiation » institutionnalisée par les pouvoirs publics. Dès leur origine ces formes de médiation on reçu un statut plus ou moins compatible avec leur mission de médiation.

La question vaut pour la médiation d'origine civique qui sans être clandestine bénéficie encore d'une situation institutionnelle très ouverte, en particulier au sujet de *la nature de l'activité de médiateur* qui se pratique aujourd'hui à des titres si différents, bénévolement ou en complément d'une profession (libérale ou non), ou encore à titre de salarié d'une entreprise pour se limiter à quelques exemples. On peut alors envisager une série de montages juridiques afin de découvrir le plus respectueux de l'avenir de la médiation. Leur présentation se fera *crescendo,* du moins contraignant au plus contraignant à l'égard de la communauté des médiateurs.

1 / L'institutionnalisation de la médiation dans un cadre associatif simple : cette solution utilise un point fort du système juridique français, ménageant une liberté associative très étendue. Les associations simplement déclarées bénéficient d'un régime juridique avantageux pour la médiation. Ainsi, les fondateurs peuvent inclure dans les statuts de l'association des dispositions relatives à leur conception de la médiation, par exemple un Code de déontologie que leur pouvoir disciplinaire permet de faire respecter par les médiateurs adhérents. La légitimité associative offre une solution équilibrée, efficace et indépendante des pouvoirs publics. En dernier ressort, la médiation s'exercerait sous le contrôle du juge judiciaire, solution offrant toute garantie aux médiants mais ne tarissant pas l'activité des associations de médiateurs puisque s'exerçant *a posteriori.*

2 / L'institutionnalisation dans le cadre d'une association à légitimité renforcée par les pouvoirs publics peut paraître avantageuse, car elle permet aux associations « bénéficiaires » de recevoir des subventions, d'émettre des règlements ayant valeur contraignante sur les adhérents-assujettis, de disposer de prérogatives de puissance publique tout en restant des personnes privées, comme les associations sportives par exemple. Il faut quand même indiquer que le prix à payer par la médiation pour « bénéficier » d'un tel régime porterait déjà une atteinte non négligeable à l'esprit de liberté qui féconde actuellement le mouvement. Ainsi, les fédérations sportives doivent faire homologuer leurs décisions les plus importantes. Dans cette hypothèse le Code de déontologie perdrait largement de sa légitimité associative. De plus, tout en restant des personnes privées les associations sportives se voient soumises au contrôle des juridictions administratives qui peuvent ainsi annuler leurs décisions. Il y a là pour la médiation un exemple à méditer, celui d'un milieu associatif très varié et très vivant comme celui des médiateurs, comportant comme lui des bénévoles et des professionnels, qui tout en gardant l'étiquette associative s'est retrouvé intégré dans un service public. Les pouvoirs publics ont facturé au milieu régulé un prix très fort (l'intégration) pour des prérogatives finalement peu avantageuses.

3 / L'ordre professionnel : des professions comme celle des journalistes refusent l'institutionnalisation sous forme d'un ordre des journalistes. Elles n'admettent ni autorité professionnelle, ni déontologie codifiée par écrit. Une Commission de la carte d'identité professionnelle, composée paritairement de

directeurs de journaux et de représentants des journalistes, constate annuellement la qualité de journaliste. Une commission supérieure composée de trois magistrats et de deux représentants de la profession se prononce en appel en cas de contestation au sujet de l'attribution de la carte. Cependant la juridiction administrative peut intervenir au stade ultime en annulant les décisions de la commission supérieure qui seraient illégales, dans le cadre d'un recours pour excès de pouvoir, le Conseil d'Etat s'est reconnu compétent dans un arrêt du 22 avril 1977, Syndicat des journalistes CFDT. Les journalistes préservent jalousement une liberté étendue, en évitant l'intégration dans un ordre professionnel, mais en ne réussissant pas à élaborer eux-mêmes une déontologie d'origine associative, ils courent le risque de se la voir imposer par voie étatique à l'occasion d'un scandale. Les associations de médiateurs doivent éviter cet écueil.

4 / La régulation de la médiation par une autorité administrative indépendante : comment ne pas penser à cette solution, véritable *must* institutionnel, Me Jacques d'un Etat à la recherche d'un mode d'extension, d'apparence indolore, de son contrôle sur la société civile ? En dehors des dangers que le recours anarchique à cette solution providentielle constitue pour la cohésion de notre système juridique en général, la régulation de la médiation par une AAI ne semble pas souhaitable. Elle pèse en général très lourd sur le milieu régulé pour une efficacité qui reste à démontrer. Le médiateur de la République n'a d'ailleurs pas apprécié l'arrêt Retail (CE, 10 juin 1981) le qualifiant d'AAI.

5 / L'institutionnalisation de la médiation par l'intégration classique dans l'appareil public : plusieurs solutions se dessinent, celle de l'intégration de la médiation dans l'appareil d'Etat, celle de son intégration dans l'organigramme des diverses collectivités locales ou dans celui d'établissements publics. La médiation prendrait la forme d'un service public contrôlé par des personnes morales de droit public. Les fonctionnaires seraient des agents de l'Etat ou des collectivités locales, voire des fonctionnaires avec des risques d'incompatibilités entre le statut de la fonction publique et la déontologie de la médiation. Plusieurs sous-modèles sont alors envisageables (leurs inconvénients ont été présentés *supra*).

— On peut imaginer l'intégration de la médiation au sein du pouvoir exécutif sous forme d'un secrétariat d'Etat, voire un ministère de la Médiation. Il pourrait s'agir soit d'un ministère à structure pyramidale classique soit d'un ministère horizontal, c'est-à-dire à structure étalée puisque par son objet il aurait vocation à entretenir des relations avec la plupart des autres ministères (ex. le ministère des Affaires sociales pour les médiations sociales...). Ce ministère acquiérerait la haute main sur l'accès à l'activité de médiateur, sur son régime juridique. Une fonctionnarisation de la médiation se profilerait.

— On peut aussi imaginer l'hypothèse de l'intégration de la médiation dans l'appareil judiciaire. La chancellerie ou les tribunaux désigneraient les médiateurs et contrôleraient de nombreux aspects de leurs activités.

Des cinq montages institutionnels présentés, seule la formule associative respecte la nature de la médiation. Le *principe de subsidiarité* évoqué à plusieurs reprises guide une fois de plus la solution adaptée à la nature de la médiation. Elle seule respecte le critère de non pouvoir, qui est une des principales caractéristiques de la médiation. A elle de se structurer pour réguler la médiation. La création d'un Centre national de la médiation qui fédère 45 associations de médiateurs obéit à ce but. Il joue un rôle très complet, il contribue à la régulation du milieu, constitue une sorte d'observatoire de la médiation en drainant des informations et en orchestrant la réflexion, en symbiose avec la Maison de la médiation et l'Institut de formation à la médiation.

Faut-il pour autant traiter par le mépris les innovations provenant des élus locaux, des magistrats, des fonctionnaires. Non bien sûr, car la médiation n'épuise pas à elle seule le besoin d'innovation sociale, de communication éprouvé autant par les fonctionnaires que par les particuliers. Si de nombreux fonctionnaires aiment à s'appeler médiateur, c'est parce qu'ils éprouvent le besoin de mieux remplir leur mission. Les pouvoirs publics plutôt que de se lancer dans une activité vibrionnaire de médiation qui ne lui appartient pas pourraient répondre au besoin de communication, d'échange, d'ouverture, de rapprochement, de rencontre (on se passe très bien du mot médiation) si évident et si général, en réfléchissant à de nouveaux modes de prestation de service. Les préconisations issues de la mission confiée le 25 mars 1991 par M. Delebarre, ministre d'Etat, ministre de la Ville à P. Picard offrent une réponse remarquablement conforme à ces souhaits. Elles ont permis l'adoption par le gouvernement d'un dispositif original, le projet de service public de quartier qui permet la coopération entre les services qui gèrent chacun de leur côté les divers éléments de cas individuels, et qui permet de se rapprocher des usagers. Les services ainsi réorganisés peuvent jouer leur rôle de facilitateur (on se passe très bien du mot médiateur).

La médiation est-elle inoffensive ? — On l'aura remarqué les dangers présentés plus haut ne proviennent pas de la médiation mais de sa mauvaise utilisation ou d'une mauvaise terminologie. Est-ce à dire que laissée dans son milieu naturel elle serait inoffensive ? Elle sera ce qu'en feront les associations de médiateurs. Leur capacité à se fédérer pour mettre au point une formation de qualité, un Code de déontologie d'application générale, une autorité fédérale capable de le faire respecter sera décisive. L'attribution de la qualité de médiateurs doit se faire soigneusement pour éviter la prolifération de gourous incontrôlables.

Le problème du financement de la médiation devrait se résoudre secteur par secteur mais sous le contrôle de l'autorité fédérale de nature associative pour éviter les dérapages. Si les entreprises, les organisations publiques ou privées se convainquent de la rentabilité de la médiation elles trouveront le financement de médiateurs internes ou externes. Les particuliers auront le choix entre des bénévoles ou des prestataires de services rémunérés. Ils rémunéreront soit l'association de médiateurs, soit le médiateur libéral selon le cas. Les associations peuvent moduler le prix en fonction des possibilités des médieurs et opérer ensuite une péréquation entre les médiateurs. En matière de financement les dangers existent dans tous domaines. On sort de la réflexion sur la médiation.

CONCLUSION

La grande braderie de la médiation aura-t-elle lieu ? Plusieurs raisons le font craindre :

— L'absence de réflexion conceptuelle dans le processus de création du droit. Deux séries de textes sur la « médiation » et les nouveaux modes de règlement des conflits sont en préparation. L'étude très parcellaire du Conseil d'Etat sorte d'inventaire de l'existant, ne contient aucune réflexion sérieuse sur la médiation. Or l'étude est présentée comme une étape en vue d'une réforme. Du côté de la justice judiciaire, la chancellerie gagnerait à réfléchir aussi avec des théoriciens et non uniquement avec ses auxiliaires.

— Le confort que permet l'utilisation d'une appellation prestigieuse (pour combien de temps ?) et non protégée est le principal moteur de l'altération prévisible de la médiation si un coup d'arrêt salutaire n'intervient pas.

Pourtant, la médiation civique est probablement la grande aventure sociale de notre fin de siècle, elle reste encore à faire. La réflexion ne peut que contribuer à bien la faire. Quand la médiation aura été détruite aura-t-elle une autre chance ?

BIBLIOGRAPHIE

NB. — Ne figurent ici que des ouvrages généraux et non des monographies sur un secteur particulier.

OUVRAGES

Ouvrage de référence

J.-F. Six, *Le temps des médiateurs,* Le Seuil, 1990.

Autres ouvrages

J.-B. Bonafé-Schmitt, *La médiation, une justice douce,* Alternatives Sociales, 1992.
J.-F. Six, *Dynamique de la médiation,* Desclée de Brouwer, 1995.

Ouvrages collectifs

Annales de Vaucresson, n° 29, février 1988, La médiation.
Séminaire médiation (novembre 1989 - juin 1991) sous la direction de J.-P. Bonafé-Schmitt et E. Leroy, décembre 1991 (ministère de la Justice).
La médiation Bulletin du CLCJ, décembre 1986, n° 8.
Médiateurs et ombudsmans, *Revue française d'administration publique,* 1992, n° 64.
Régler autrement les conflits, Les études du Conseil d'Etat, La Documentation française, 1993.
La médiation, un mode alternatif de résolution des conflits (Colloque de Lausanne, 14 et 15 novembre 1991), Publications de l'Institut suisse de droit comparé, Zurich, 1992.
La médiation, coll. « Profession avocat », Berger-Levrault, 1999.

TABLE DES MATIÈRES

Imprimé en France
Imprimerie des Presses Universitaires de France
73, avenue Ronsard, 41100 Vendôme
Janvier 2000 — N° 46 874